民族から解き明かす世界史

関 眞興

PHP 文庫

○本表紙図柄＝ロゼッタ・ストーン(大英博物館蔵)
○本表紙デザイン＋紋章＝上田晃郷

総論　まえがきに代えて

個人的な経験を書かせていただきます。初めて「世界史」という教科になじんだのは、半世紀以上も前、高校2年生のときでした。刺激的な世界であったのですが、記憶しなければならない歴史用語の多さに圧倒されました。そして、イギリスやアメリカなど、国名は知っていても、その国の歴史などまったく知らなかったことにも愕然《がくぜん》としました。

しかしながら、そのようなものを全部詰め込んでも歴史の理解が進むわけではありません。何をどのように整理・系統立てていったらいいのか、まったくわからないままに、ひたすら歴史用語や人名を暗記し続けたことを思い出します。F＝ベーコンの「知は力なり」という言葉は、奥深いものがあるのでしょうが、私にとっては、暗記量・知識量が条件反射的にこの言葉を連想させてくれ、何となく歴史の世界にひかれていく力になってくれました。

私は大学卒業後に、予備校に勤めたので、入試問題は嫌というほど見てきました。なかには、数は多くありませんでしたが、論述問題もありました。仕事柄、弱音は吐けませんが、正直なところ、限られた時間と字数で一つのテーマをまとめ上げるのは楽しい仕事とはいえませんでした。なんといっても世界史は無限ともいえる広がりがあり、多少は専門的な分野をかじってきたとはいえ、専門外の問題では何が問われているのかよくわからないことがほとんどでした。

しかし、なかには思わず、入試問題ってこんなに格調高いものなのかと唸《うな》ってしまうものもありました。今も忘れられない問題の一つが「10世紀の東アジア」を考えさせるものでした。設問に与えてあった用語ははっきりとは覚えていないのですが、10世紀というのは、中国では唐末から宋の時代、日本や朝鮮、北アジアやヴェトナムがどのような歴史を展開させたか、そして、まとめとして10世紀の東アジアはどんな時代であったのかということを評価させる問題でした。

それと併《あわ》せて、イスラム勢力がヨーロッパをつくったという趣旨の、いわゆる「ピレンヌ＝テーゼ」にも衝撃を受けました。といいますと、お前は馬鹿かといわれるかもしれません。今でこそ、アンリ＝ピレンヌの説を肯定的に評価する研究者はいませんが、歴史用語の暗記に熱中していた人間にとって、歴史をこのような視点で見ることもできるのかと教えられたのは、衝撃という言葉以上のものがありました。

10世紀の東アジアもそうですが、「歴史はそれなりの時間をかけて変わっていく」ものだという当たり前のことをあらためて認識するようになりました。さらに当たり前のことですが、「変化というのは人々の動きによって生じるものである」という気づきです。まとめると、「歴史は、人々の動きのなかで、長い時間をかけて（ときに急激に）変わっていくものである」ということになります。ピレンヌ＝テーゼは、その当否はともかくとして、一つの典型なのです。

そのような「人々の動き」に注目してみますと、興味深いことがたくさん出てきます。今日、世界の各地で生まれている「難民」問題ですが、これはかつてのゲルマン「人」の大移動と関連付けられなくもありません。スターリン時代の「民族」強制移動もしばしば問題になりますが、これを、約2600年前に新バビロニアが行なった「ユダヤ『人』のバビロン捕囚《ほしゅう》」と重ねてみるのはやりすぎでしょうか。

さて、ここで、意識して「難民」「ゲルマン人」「民族」「ユダヤ人」という言葉を並べたことに注目していただけたでしょうか。とくにゲルマン人ですが、これは「ゲルマン民族」で記憶されてきた方々が多いはずです。最近の教科書ではゲルマン人になっています（ドイツでは「民族」にあたるVolkを使い、ゲルマン民族の呼称が生きています）。その理由は「民族」という言葉をどう定義するかということにあります。それは簡単ではないのですが、宗教や言語などの共通性でまとめられる集団として規定できるかどうかということです。英語ではnationになり、民族・国民・国家などと訳され、対象とする時代などで意味は大きく異なってきます。

最近はnationとは別にethnicという言葉もよく使われるようになっています。国家のなかで、少数の、異なった文化的伝統をもつ集団を指すときに使われることが多いのですが、その人口が増えてくると問題は単純でなくなってきます。さらに、「人種」という言葉もまだ使われ続けています。これは、人間の皮膚の色や頭髪など形態的特徴から区分するものです。人間の本質とは関係ないのですが、しばしば差別的な使われ方をします。

民族や国民を強く意識するようになったのは19世紀以降の国家建設で、キリスト教に代わるアイデンティティーが求められるようになってからのことです。そのキリスト教も、新教と旧教に分かれて対立が続くようになっていますし、言語や宗教、歴史的な習慣などが集団形成の核になるのは極めて当然のことなのですが、それが強調されるとほかの集団との対立が避けられなくなります。

人間の移住や移動に関連しては、「する」側と「される」側の間で対立や差別感情など醜《みにく》い事態が出てくるのは避けられません。しかし、長い時間のなかで、異民族間で同化が進み、それらが解消されてきた歴史もたくさんあります。そもそも、人間は世代にして5代もさかのぼると、32人もの異なった祖先の血を受け継いできています。さらにもう一言付け加えれば、多くの人間にとって、祖父の顔は思い出せても、曾祖父になるとよほどの歴史好きか名門の家系でもない限り、興味すらもたないのが一般的ではないでしょうか。

一昔前、遺伝的に考えて「アフリカのイヴ」といわれる女性が今日の人類の共通の祖先という説が出てきて評判になりました。これが正しいとすれば、「世界人類みな兄弟姉妹《きょうだい》」というのもまんざら嘘《うそ》ではなくなってきます。また、科学的にはどうかと思われますが『旧約聖書』の「創世記」や「ノアの方舟《はこぶね》」のお話を素直に信じると、人類の先祖はアダムとイヴになります。

現実に起きている問題を一挙に解決するのは不可能です。しかし、人間の歴史を振り返って、そこから学べるものもたくさんあります。その何万分の1でも学んで、世界から紛争を少しでもなくしていく術《すべ》は考えられないだろうかということを思いながら、本書でいくつかの民族に関する事例を紹介してみる気になりました。読者の皆様に、「人類とはこんなにもさまざまな移動・融和・同化をくり返しながら、今日に至っているのか」ということを認識していただければ幸いです。

関 眞興

民族から解き明かす世界史

目次

第三部 近現代

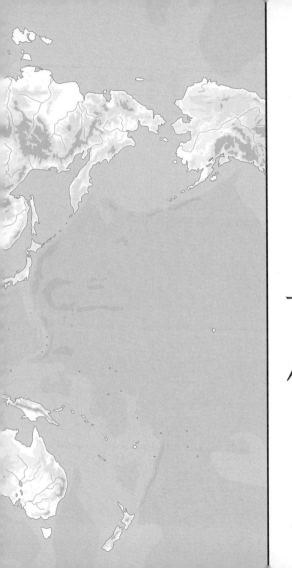

第一部 古代

Chapter 7
欧州
Chapter 6
コーカサス
Chapter 2
地中海
Chapter 1、5
オリエント
Chapter 3
中国
Chapter 4
インド

Chapter 1

オリエントエリア
前1200年頃

「海の民」の襲来 地中海世界の再編成

概論

現在の地中海は難民船であふれています。アフリカ諸国での混乱を嫌い、豊かさや安全を求めた人々が、続々とヨーロッパに渡っています。いっぽうのヨーロッパ諸国も人道的な立場を忘れているわけではないのですが、あまりに難民の数が多く、受け入れても、将来が保証できません。ここで話が一気に飛びますが、今から3200年ほど昔、地中海の東海岸でも、同じようなことが起きていました。現代と同一視することはできませんが、「海の民」(この言葉が生まれたのは19世紀の末になってからのことです)といわれる集団が地中海の沿岸地域を荒らしまわっていたのです。史料が断片的で、彼らのことは現在もよくわかっていないのですが、その動きの結果、東地中海周辺の歴史は大きく変わりました。

シュメール人の時代に農耕が始まり文明が確立する

歴史時代は今から5000年ほど前のオリエント、つまりエジプトやメソポタミアで始まりました。両者の歴史の展開は異なっています。比較的強大なファラオ権力にまとめられたエジプトに対し、メソポタミアではシュメール人が都市国家を建設、アッカド人がそれをまとめ、紀元前（以下、前）2000年を過ぎて古バビロニア王国にハムラビ王（在位前18世紀頃）が出ます。1000年以上の時間をかけて、都市国家の群立状態から「大領域国家」が形成されるまでに至るのです。

この地域で歴史発展の原点ともいえる農業が始まったのは、歴史時代に入るさらに5000年以上も昔になります。シュメール人の時代には治水や灌漑《かんがい》など農業インフラが整備され、それが地域の支配者を生み、併せて、職人や商人なども現れ、食堂や旅館もできてきて都市が出現します。そのような農耕社会の豊かさに周辺の遊牧民が注目し、都市に侵入すると、都市も対抗して団結。じょじょに領域国家に拡大していきます。

遊牧民との戦いや都市国家間の対立のなかで、王や神官など支配者たちの使命は都市や国家を守ることにあります。この時代、戦争に負けることは奴隷身分に落とされることを意味しました。鉱業をはじめとしてさまざまな労働が強制され、よそへ売買されるのがふつうでした。

紀元前13世紀以前のオリエントで起こった民族移動

この章の主役は、冒頭で述べた「海の民」です。といっても、初めて本格的な「移動」を行なったのが彼らというわけではありません。たとえばエジプトの場合、砂漠や海など天然の要害《ようがい》により、異民族の侵入は少なかったとされます。しかし、第2中間期の中頃（前17〜前16世紀）、アナトリア高原（小アジア）で起きていたヒッタイト（後述）の動きの余波で、シリア・パレスチナ方面から移住してきた人々がいました。ピラミッドに代表される古王国時代（前27〜前22世紀）ほどの派手さはないものの、静かな安定期であった中王国時代（前21〜前18世紀）が終わり、ファラオの権力が低下、地方の勢力が自立した頃です。移住してきたのは侵略者ではなく、平和的にやってきた奴隷や難民（移民）だったと考えられます。彼らは王や貴族の召し使いなどとしてエジプト社会に受け入れられていきました。ところがそのような人々のなかで、強力な弓をもち、戦車（チャリオット、二輪馬車）を巧みに操《あやつ》る者が、エジプトの有力者の傭兵《ようへい》になりました。力を蓄えた西アジア系の人々が権力を握り、初の異民族王朝になるヒクソス王朝（第15、16王朝）が成立したと考えられています。

ヒクソスの支配に対して、エジプト人は「彼らは武力による恐ろしい侵略者である」という記述を残しています。異民族支配は、エジプト人にとって屈辱の歴史ですし、それを倒して成立した新しい王朝をたたえるために相手を悪くいうのは、今も昔も変わりません。前16世紀後半に始まる第18～20王朝は、新王国時代といわれる繁栄期になり、ヒクソスから学んだ新しい戦術によってエジプトが積極的な対外政策を展開します。

エジプトで新王国が成立した頃、メソポタミアでは古バビロニア王国が弱体化し、北部にミタンニ王国、南部にカッシート朝ができています。両国共にくわしいことはわかりませんが、カッシート人はイラン方面からの移住者で、古バビロニアともしばしば対立し、古バビロニアはヒッタイトと結んでカッシートを滅ぼしました。カッシートの滅亡後はミタンニが強大化します。そして前15～前13世紀頃のオリエント世界では、エジプト、ヒッタイト、ミタンニがシリア地方を巡って対立することなります。シリア地方の歴史はこのような民族の移動のなかで形成されていきました。そして現在も複雑な民族構成で、周辺の大国との関係も緊張をはらんだものであることは変わりません。

エジプト、ラメセス2世の帝国主義

メソポタミアとエジプトが中心に説明される古代オリエントの歴史で、アナトリア高原（小アジア）も重要な場所になってきます。前17～前16世紀頃からヒッタイトが強大化してきます。ヒッタイトの起源ははっきりしません。しかし彼らは初めて「鉄器」を鋳造《ちゅうぞう》し、鉄製武器で軍事大国化し、シリア地方に南下しました。新王国時代のエジプトがそれに対抗し、ミタンニは、この両者の間で難しい外交政策を強いられました。

ヒッタイトとエジプトの戦いといえば、前1286年頃に行なわれたカデシュの戦いが有名です。当時のエジプトは第19王朝、ラメセス（ラムセス）2世（在位前1279頃～前1213頃）の時代です。彼は、70年近くもファラオの地位にあり、アブ＝シンベル神殿の建設者でもあります。彼の時代のエジプトは「帝国主義時代」

難民などの集まりと思われる「海の民」の移動が、覇権国家の再編成をもたらした

ともいわれ、ヒクソスをシリア・パレスチナ方面へと追うなど積極的な対外拡大政策を行ないました。カデシュは、シリア北部の交通の要衝《ようしょう》・交易の中心で、そこを確保することの意味は非常に大きなものがあります。

ラメセス2世の時代、ヒッタイトにはムワタリ2世（在位前1315～前1282頃）が君臨していました。このとき、ヒッタイトはエジプト軍に偽《にせ》の情報を流して、エジプト軍の不意を突いたため、エジプト軍は動揺しましたが、すぐに態勢を立て直しました。ここで重要になるのが、この戦争の勝者はどちらかという問題と、戦後の平和条約の締結です。両国共に「勝利」を記録していますが、エジプトがカデシュを奪えなかったことから「引き分け」たというのが実際のようです。平和条約では、この地域での平和の維持を確認し、両国のパワーバランスが図られました。余談ですが、史上初の平和条約ともいわれるこの条約を記した粘土板のレプリカが、国連ビルに展示されています。

このように強勢を誇ったヒッタイトも、新王国時代のエジプトも、前1200年頃に大きな試練を受けます。エジプトの場合は後述しますが、「海の民」といわれる民族がこの地域を荒らしまわり、アナトリア高原やシリア・パレスチナなどは荒廃し、ヒッタイトが滅亡してしまうのです。

海洋性・開放性に富むエーゲ海の文明

「海の民」のことを語るときには、エーゲ海周辺の歴史状況も無視できません。エーゲ海はバルカン半島とアナトリア高原（小アジア）の西部海岸地帯、クレタ島に囲まれた海域です。前2000年頃からオリエント文明の影響を受け、この地域にも青銅器を伴う高度な文明が形成されました。この地域の文明の存在は、ホメロスの描く「トロイア戦争」の英雄たちの活躍にあこがれたシュリーマンが、アナトリア高原の北西部の遺跡を発掘したことにより知られるようになりました。ペロポネソス半島のミケーネやクレタ島のクノッソスの発掘も続き、エーゲ文明の全体像が明らかにされています。

エーゲ海周辺はエジプトやシリアとの関係が深く、さまざまな交流があったと考えられますが、なかでもクレタ島で発掘される壁画や城壁のない宮殿などの遺跡から、この文明の海洋性・開放性が明らかにされています。ペロポネソス半島でも、南下してきたギリシア人によって、宮殿を中心にしたミケーネなどの都市が建設されます。前1200年頃、これらの文明が突如崩壊します。それを象徴するのが「トロイア戦争」ともいえます。そして、この地域に住んでいた住民も、「海の民」の仲間になっていったのではないかと考えられています。

東部地中海の歴史を変えた「前1200年のカタストロフ」

前1200年頃の地中海世界で起きた「海の民」の動きは激しく、「前1200年のカタストロフ」という言葉で紹介されます。しかし、その実態はよくわかっていません。ただ、彼らの動きと解釈できる記録が、エジプトのファラオの業績に残されています。

前1207年とされる記録によれば、エジプトのファラオ、メルエンプタハの即位5年目に「海の民」がエジプトを襲撃したのです。このとき襲撃したのは、隣国のリビア人に加え、アカイワシャ（エクウェシュ）人、トゥルシア（テレシュ）人、ルッカ人、シェルデン人、シェケレシュ人となっています。これらが「海の民」とされますが、その正体に関し、言語学などを利用して多くの仮説が立てられています。

その研究成果のいくつかを紹介します。まず、アカイワシャ人はギリシア人の別称、アカイア人のこととする説が有力です。トゥルシア人というのはイタリア半島のエトルリア人ではないかとも考えられています。ルッカ人はルキア人とも書き、アナトリア高原南西部にいた人々のこととされます。シェルデン人とシェケレシュ人はほとんどの学者の意見が一致し、それぞれサルデーニャ人とシチリア人を指すとされます。

大雑把《おおざっぱ》にいうならば、「海の民」とはイタリア半島とバルカン半島を中心に、地中海の各地にいた民族が統合された集団と理解されるようです。史料に出てくる「民族」名を、言語学的に対応させて、推定している段階です。それにしても、大きな集団になって各地を荒らしまわり、ヒッタイトのような強大な国家までを弱体化させたというのは、「海の民」も後に引けない切羽詰《せっぱ》まった事情を抱えていたことが考えられます。

前1200年前後、地震や旱魃などがエーゲ海周辺の諸民族を苦しめていたことが指摘されています。カデシュの戦いの後、ヒッタイトで起きた深刻な食料危機にエジプトが食料支援を送った記録が残されています。そのような社会的混乱によって人口の減少をきたし、ヒッタイトは国家機構を維持できなくなったとも考えられます。食料危機により生命の危険にさらされた人々は、大挙して蓄えの残っている都市などの略奪を始め、ある者は陸路を、ある者は海路によってアナトリア高原からシリア地方を荒らし、最終的にはエジプトに至ったと考えられます。

異説もあります。前1177年頃、記録では2回目の「海の民」によるエジプト侵入が読み取れます。このときの侵入には、ペリシテ人がいたことが注目されます。「ペリシテ」は「パレスチナ」の元になります。彼らは今日のイスラエルに居住していたのですが、もともとはエーゲ海周辺にいたとされ、カデシュの戦いではエジプト側につき、ヒッタイトと戦いました。今度は「海の民」に加わり、エジプトを攻めたことになります。

このときの侵入に対抗したのが、新王国の最後になる第20王朝の第2代ラメセス3世（在位前1198〜前1166）になります。彼の戦勝記念碑《ひ》に打ち負かした民族名が記されています。ところが、先のメルエンプタハの碑に記されているものと重なっていて、単にコピーしただけではないかと疑問を呈《てい》する学者もいます。もちろん、ペリシテ人など前の碑文にはない民族もあり、「海の民」の侵入は否定されるものではありません。

この2回目の侵入に続いて、リビア人のエジプト侵入が起こります。リビア人にとっては、暴力的な侵入ではなく家族などを伴った平和的な移住のつもりだったようですが、ラメセス3世の対応は厳しく、多くのリビア人が殺され、また捕虜になりました。捕虜となったリビア人がエジプトに住み着き、しだいに軍事力を含めて力を蓄え、第22・23のリビア人王朝をつくることになるのです。結局、「海の民」自身のことは今もよくわからないのですが、前1200年前後の彼らの動きが東部地中海の歴史を大きく変えたことは確かです。その結果、多くの民族が融合されていきました。

混乱を味方に付けた史上初の「世界帝国」アッシリア

「海の民」が、大移動の後にどのようになったか、くわしいことはわかりません。戦闘中に殺された者のほか、捕虜となり、奴隷にされてエジプトあるいは近隣の地で労働を強制された者も多かったでしょう。また、エジプト以外の地で勝利者となり、現地の人々と混血した場合も考えられます。そして、多数派が少数派を差別・蔑視《べっし》するということも行なわれたはずです。しかし、長い時間をかけるうちに同化が進み、差別が消滅していく場合も多かったと思われます。切実な例として、国家規模が大きくなると軍隊も巨大化し、捕虜が兵士として採用されるのはままあることでした。

「海の民」による混乱をしのいだ後のエジプトですが、全体としての衰退傾向は避けられませんでした。とくに西方からリビア人の移住が進み、リビア人の王朝ができただけではなく、前7世紀にはアッシリアの支配下に編入されます。

そのアッシリアの本来の居住地はメソポタミアの北部、海抜《かいばつ》の高いところであり、灌漑農法は不可能で商業活動に従事していましたが、その活動も古バビロニア王国やミタンニ王国に抑えられていました。ところが「海の民」の移動の結果、古バビロニアなどの勢力が弱体化したことに加え、アッシリア内の旧来の支配層に代わった新興勢力が台頭し、国力の強化を図ったことで、前7世紀にはエジプトまでも支配下に入れ、オリエントの主要部分をほぼ制圧、史上初の「世界帝国」ともいわれる強大な国家を建設するに至ります。

次の章でくわしく説明しますが、「海の民」の動きの後、シリア・パレスチナ地方で起きた変化が一番大きかったといえるかもしれません。シリア西部の海岸地帯ではフェニキア人の活動が始まります。彼らはティルスやシドンなどの海港《かいこう》都市を拠点に、地中海全域に発展していきます。北アフリカに建設されたカルタゴは、彼らフェニキア人の都市になります（Chapter2参照）。このフェニキア人と並び、シリア東部に居住したのがアラム人です。彼らも商業民として内陸アジア貿易で活動しました。

「移住」「移動」という人間の本質が見える時代

古代オリエントの歴史は時間の長さに対して史料も少なく、まとめてしまうと一見、淡々《たんたん》と過ぎていった感があります。しかし、そこで起きていた人々の動きは、今日の世界と変わらないものがあります。定住生活に慣れた人間にとっては理解しづらいところもありますが、人間の活動の本質は「移住」「移動」にあるのかもしれません。

現代のように、情報が豊富かつ瞬時に手に入り、たとえば日本からアメリカであっても十数時間で行けるような世界ならともかく、確かな情報も得られないような場所に長い時間をかけて移住する気持ちとはどんなものだったのでしょう。しかし、人類はそれをくり返してきました。そして、そのくり返しのなかで高度な文明を築き上げてきたのです。そう考えると、「移動」こそが社会発展のエネルギーなのかもしれません。

Chapter 2

地中海エリア
前13〜前4世紀頃

フェニキア人の躍進
古代地中海の商業戦争

概論

中東に「レバノン」という国家があります。「歴史的なシリア」（シリア、レバノン、パレスチナ、イスラエル、ヨルダン一帯）の一角で、エジプト、メソポタミア（イラク）、小アジア（アナトリア）に囲まれ、さまざまな民族が行き交《か》い、現在も複雑な民族・宗教構成になっています。まず注目されるのがフェニキア人で、併せてアラム人やイスラエル人（ヘブライ人＝ユダヤ人）が中心になって歴史が展開します。しかし、彼らはそれぞれ「大領域国家」を建設したわけではありません。フェニキア人の場合、ティルスやシドンという港市《こうし》を拠点に、地中海全域に大ネットワークをつくり上げました。広域ネットワークを築くことは、文化の発展にも大きな貢献をします。地中海を舞台にしたフェニキア文字、ギリシア文字、ラテン文字の系譜《けいふ》を見ればそれは明らかです。

海洋商人フェニキア人が、地中海沿岸を席巻

「海の民」による古代オリエント世界の大混乱と再編成の後、地中海東海岸地帯（レバント地方）で活躍を始めたのがフェニキア人です。このフェニキア人という名前、じつは自称ではなく他称です。ギリシアの詩人ホメロスの著作に「フォイニクス」という赤紫色の染料をもたらす「商人」のことが出てきます。そこから「フェニキア」が生まれたと考えられています。彼らの始まりはよくわかりませんが、現在のシリア・レバノン地域とその周辺にいた人々を指す「カナーン人」ではないかとも考えられます。

このカナーン人は前1200年頃の「海の民」侵入による試練、さらにイスラエル人（当時の資料に出てくるユダヤ人＝ヘブライ人のこと）による圧迫もあり、必然的に海上に進出していかざるをえませんでした。海上に進出を始めたカナーン人が、フェニキア人といわれるようになったとされます。

カナーン人の時代は青銅器時代で、フェニキア人の時代には鉄器時代になっていたことも指摘されます。「海の民」の動きの過程でヒッタイト王国が弱体化し、彼

らが独占していた「鉄器」の技術が周辺に拡大したことの証明です。

フェニキア人はエジプトやメソポタミアで見られるような「大領域国家」は建設せず、ティルスやシドン（共に現在のレバノン。現在名はテュールとサイダー）に代表される都市を建設し、そこを拠点に地中海各地に乗り出しました。キプロス島やシチリア島、サルデーニャ島を経ながら、アフリカ北海岸ではカルタゴやアルジェ、イベリア半島南岸にはカルタゴ＝ノヴァ、さらに大西洋に面したカディス、モロッコの海岸ではタンジールなどにも拠点が点在していました。多くの都市が今日まで維持されてきています。

余談ですが、興味深いのがフェニキア人の商業活動です。世界史上、貨幣が出現したのは前6世紀頃のアナトリア高原のリディアという国です。貨幣が使用される以前のフェニキア人の交易は「物々交換」でした。フェニキア人は、海岸に物資を置き、いったん海上に引き揚げ、原住民がもたらす金《きん》を待ちます。それが商品に見合うと判断したら交渉が成立、見合わなかったら、ふたたび海上に引き揚げて待つという、直接対面せず、住民の無知に付け込むやり方で、大きな利益を上げました。

なお、この時代でもう一つ忘れられないのがペリシテ（フィリスティア）人の存在です。彼らは「海の民」の一部であったとされ、彼らの名前から「パレスチナ」の地名が生まれたとされます。イスラエル人とは対立を続けましたが、土地の人々との婚姻《こんいん》によって、同化し、民族としての独自性は失っていきました。

イスラエル人とフェニキア人の蜜月

ユダヤ人は前1230年頃、モーセに率いられて「出《しゅつ》エジプト」を行ないました（Chapter 5参照）。『旧約聖書』に出てくる有名な奇跡の物語ですが、エジプト人の記録などにもイスラエル人に関する記述はあり、「出エジプト」そのものは実際のことと思われます。

そのイスラエル人とフェニキア人は前13世紀以降、戦い続けましたが、前10世紀になると一転、友好関係が樹立されます。その一例が、イスラエル王国（現在のイスラエル、パレスチナ、シリア、ヨルダン辺り）のソロモン王（在位前960頃〜前922頃）による神殿の建築です。当時、フェニキアの都市ではティルスが一番の繁栄を誇っていたのですが、その支配者ヒラムは、ソロモン王の神殿建設に協力し、レバノン杉などの建築資材や労働者、技術者を提供しています。ソロモン王も、大量の食料を送って報《むく》いました。

フェニキア人はこの時代、地中海だけでなく紅海からインド洋方面にも目を向けていました。ソロモン王はアカバ湾の奥のエイラートに拠点を築き、そこで外洋を航海できる大型船を建造、それでアフリカの東海岸地方にまで進出したとされています。ソロモン王といえば、シバの女王との関係が話題になりますが、ことの真偽はともかく、こういった関係もこの過程でもたれたものと考えられます。

ソロモン王の死後、古代イスラエル王国は北のイスラエル王国と南のユダ王国に分裂しました。ユダのほうが政治は安定していて、イスラエルは混乱続きでしたが、フェニキア人はこのイスラエルとの緊密な関係を続け、前9世紀後半には、ティルスの王の娘イゼベルとイスラエルの王子アハブが結婚しました。ところがイゼベルは『旧約聖書』にも「最悪の女」と評されるほどの問題をユダヤ人世界にもち込みました。ヤハウェ一神教であるユダヤ人世界に、セム族の豊穣《ほうじょう》の神・バール神信仰をもち込んだのです。こうした宗教上の問題はともかくとして、フェニキア人の商業的才覚がユダヤ人社会にも繁栄をもたらしました。

そしてユダヤ人の国家は前8～前6世紀、アッシリアや新バビロニアによって滅ぼされます。フェニキア人もこのようななかで、じょじょに衰退していきました。しかし、そんなとき北アフリカで、ティルスに代わってティルスの分身のような国家、カルタゴが隆盛していたのです。

前8～前7世紀、フェニキアの中心都市はカルタゴに

カルタゴの建設は前9世紀末頃です。伝説によるとティルスの王女が弟との確執からティルスを脱出、キプロス人の協力も得てカルタゴを建設したとされます。地中海西部地域と本拠地レバノンの中間地点にあったカルタゴは中継ぎ地となり、フェニキア人にとって便利な拠点になりました。

しかし、カルタゴでさまざまな手工業製品が生産されるようになると、カルタゴの商人たちが西地中海各地で製品と交換した金や銀を地中海の東部にもたらすようになります。それにより、ティルスなどの存在価値が低下します。加えて、本国ティルスが、前8～前7世紀、アッシリア、さらにそれに続く新バビロニアの台頭によって衰退していくと、カルタゴがそれに代わっていきます。

このようなカルタゴにとって新しい脅威となったのがギリシア人です。後述しま

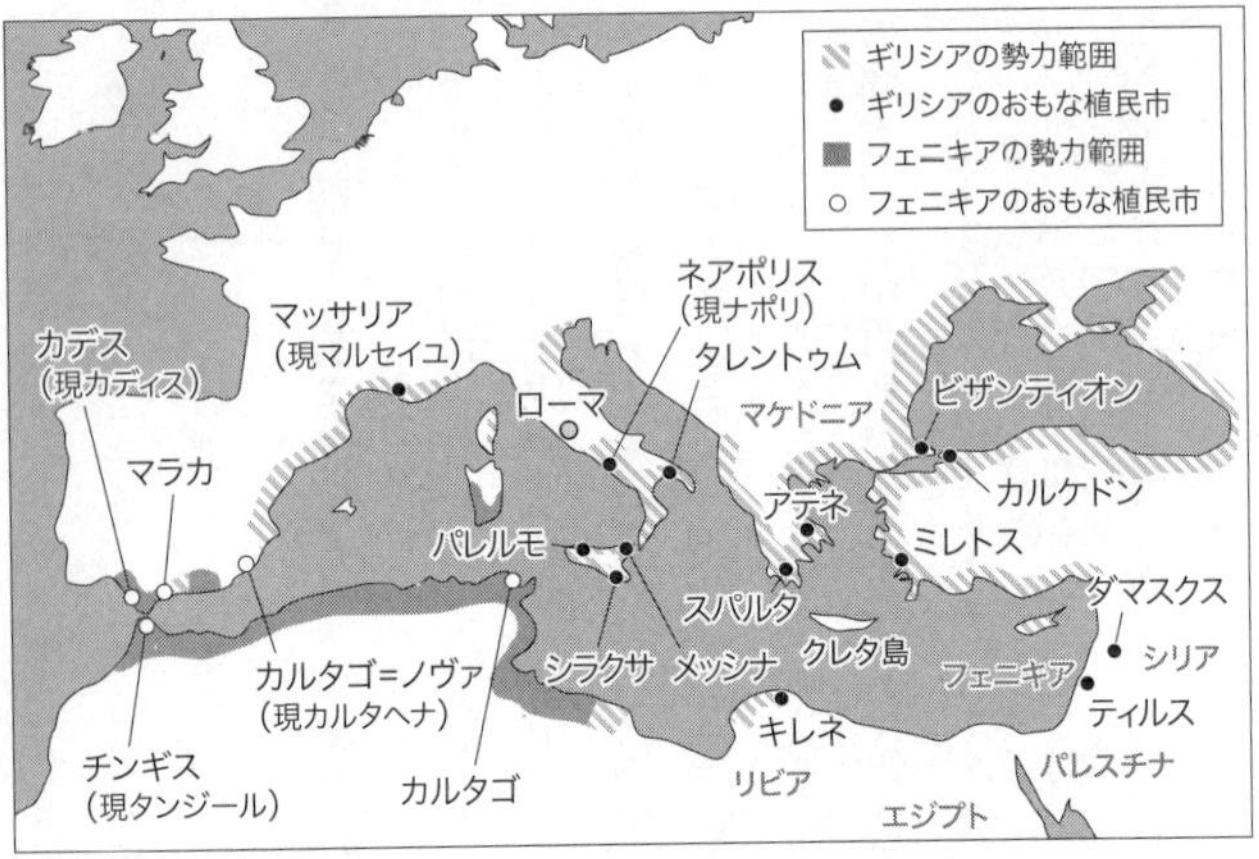

フェニキア人に遅れて地中海に進出したギリシア人は、エーゲ海から黒海やアドリア海、さらに地中海の東西に進出し、各地に植民市を建設した

すが、ギリシア人は、前8世紀頃から新しい発展の段階に入り、地中海周辺に拡大を始めていました。もちろん、両者が接触し始めた当初から対立していたわけではありません。しかし、イベリア半島の鉱山を巡って対立が深刻になっていきました。イベリア半島にはフェニキア人やカルタゴ人が先鞭《せんべん》をつけていたので、ギリシア人の進出は許せなかったのです。

しかしながら、フェニキア人のほうにもギリシア人の進出を招くスキがありました。アッシリアや新バビロニアのためティルスが衰退するというフェニキア人本国の混乱が、植民地ともいえたイベリア半島にもおよび、それに乗じてギリシア人が進出していったのです。さらに、ギリシア人とカルタゴ人の対立は、ギリシアとペルシアの対立（後述）にも反映されるようになります。

内陸の商業民族アラム人のキャラバンが砂漠を切り開く

フェニキア人と並ぶ古代の商業民アラム人はもともと遊牧民ですが、フェニキア人と同様、商業活動に従事するようになり、前13世紀頃シリアのダマスクスがその中心地となります。彼らも、アッシリアなどの圧迫を受け、領域国家の建設はできませんでした。

フェニキア人が地中海に乗り出したのに対し、アラム人は内陸アジア貿易で知られます。彼らはラクダを利用した「キャラバン（隊商）」貿易を始めます。西アジアの砂漠を舞台にする貿易には、ラクダは不可欠な動物となり、アラム人がラクダを飼いならしたと考えられています。まさしくラクダは砂漠の船で、オアシスは港になったのです。

商業民であるアラム人は、フェニキア人から学んでアラム文字をつくりました。

フェニキア文字は、シナイ文字の影響でつくられました。それがギリシア人に伝えられ、さらにローマ人がそれを受け入れ、地中海全域に広まったことで、現代では全世界で通用しています。アラム文字はメソポタミアから中央アジアまで、アラム人が商業活動を行なった地域で広く使用されました。アッシリアや新バビロニア、アケメネス朝ペルシア帝国でもそれは公用語として使われ、イエス＝キリストもアラム語を話していたという説が一般化しています。

アッシリアなどの支配下に置かれ、民族としての独自性はなくしますが、文字のことからもわかるように、アラム人はいろいろな王朝に仕え重要な役割を果たしてきました。それはヘレニズム時代からササン朝ペルシアにも続きました。7世紀にアラブ＝イスラム勢力が台頭し、アラビア語の一般化とともにアラム語、アラム文字はほぼ使われなくなります。それでも、中東の一部地域では現在も使われているようです。

フェニキア人とギリシア人の対立

フェニキア人を追って地中海に進出するのがギリシア人です。ギリシア人がフェ

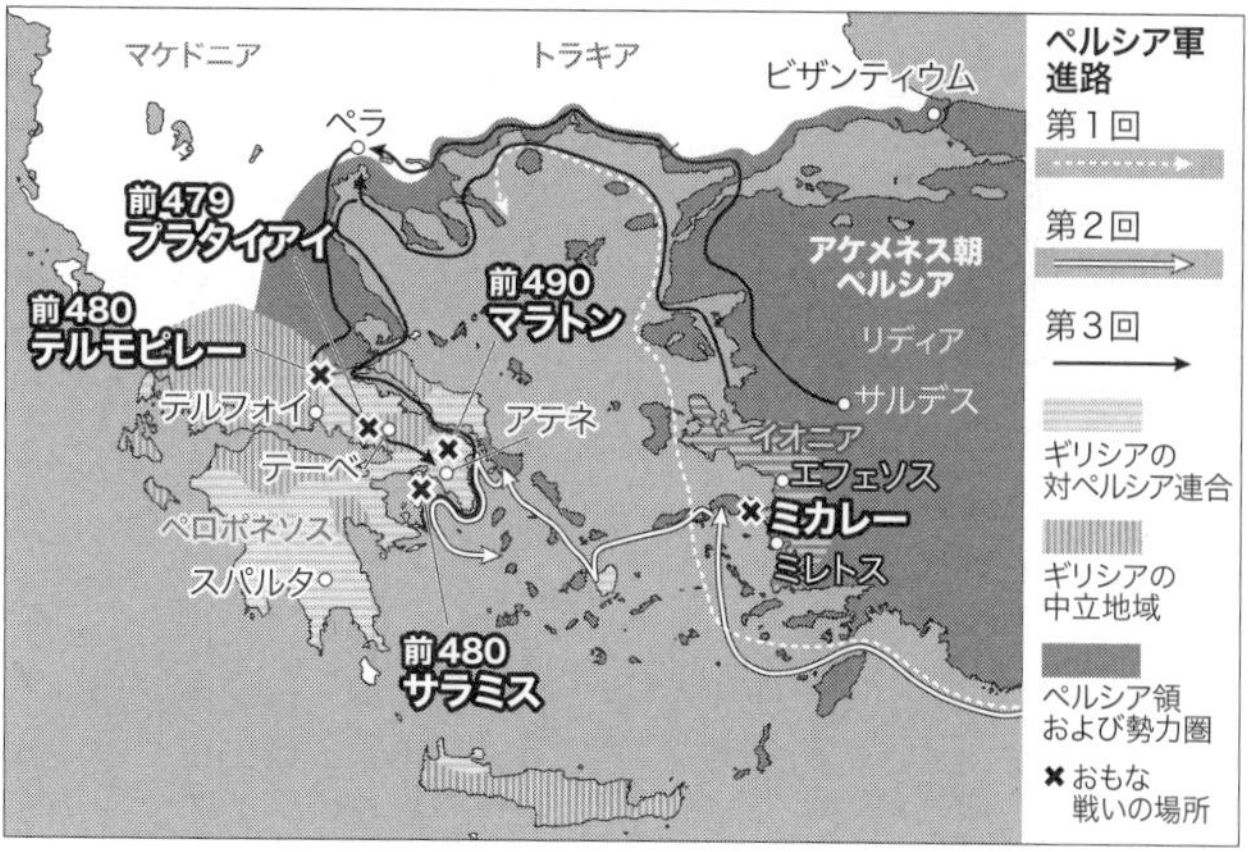

ペルシア戦争（前500〜前449年）の推移

ニキア人から文字を受け継ぎます。「アルファベット」という言葉は、ギリシア文字の「α《アルファ》・β《ベータ》」に由来します。そのギリシア文字は、ギリシア人がフェニキア文字を改良したもので、フェニキア文字が子音《しいん》のみで表記していたのに対して、母音《ぼいん》表記を加えました。ギリシア文字はローマに伝えられ、今日のアルファベットに連なってきます。

そのギリシア人は、「海の民」によって混乱させられたエーゲ文明の一翼（ミケーネ文明など）も担っていました。その後、数百年の暗黒時代を経て、アテネやスパルタなどの「ポリス」が建設されるのは前8世紀頃からになります。バルカン半島は耕地が少なく食料不足傾向にあるいっぽうで、ポリスの人口が増加すると、穀物を得るため、ブドウからつくったワインを輸出するようになります。

その過程でエーゲ海から黒海やアドリア海、さらに地中海の東西にも進出し、各地に植民市を建設しました。今日のイスタンブル、東ローマ帝国時代はコンスタンティノポリスといわれたビザンティウムが一番有名です。イタリア半島の南部、今日のナポリはギリシアが入植したときはネアポリス、南フランスのマルセイユは当時マッサリアとそれぞれ呼ばれました。また、シチリア島はギリシア、フェニキア間の対立の焦点にもなり、シラクサはギリシア人の、パレルモはフェニキア人の都市として発展してきました。

ペルシア戦争の背後にフェニキア人

前6世紀に東方イラン高原から興起《こうき》し、大帝国を打ち立てたアケメネス朝ペルシアが、前5世紀、ギリシア人が多くのポリスを建設していたアナトリア高原西岸地帯、イオニア地方への圧力を強化しました。このためにペルシア戦争が起こります。

前490年のマラトンの戦いに敗れたペルシアは、前480年、海陸の大軍をギリシアに送りました。このとき海上で行なわれた有名な戦いがサラミスの海戦で、その際にカルタゴはペルシアに軍船を提供しました。軍船1200隻余りのうち、4分の1がフェニキアやシリアが派遣したものといわれます。この戦争はギリシア側が勝利しましたが、アケメネス朝の脅威は続きました。

前4世紀になるとギリシアのポリスは混乱します。そんななかに、これまで、同じギリシア人ながら、辺境にいて「バルバロイ」と卑下《ひげ》されていたマケドニアが台頭します。そこに出たアレクサンドロス大王（在位前336～前323）がペルシアを破り、東はインド北西部から中央アジアにわたる「大領域国家」を建設しました。

そんな頃、イタリア半島ではローマが半島の統一を進め、これを実現すると、地中海のカルタゴに目を向け、ポエニ戦争が始まります。ことの発端はシチリア島での対立でした。海に慣れていないローマでしたが、3回の戦争に勝利しただけでなく、アレクサンドロス大王の死後に分裂していたヘレニズム諸国も打ち破り、紀元前1世紀の末、最後の大国プトレマイオス朝エジプトを倒し、全地中海の覇者になったのです。

商業戦争を経て生まれた安定

紀元前1000年紀の地中海はフェニキア人とギリシア人、ローマ人が商業覇権を争ってきましたが、最終的にはローマの「内海」となることで決着がつきます。この過程で物品はもちろんのことですが、人間の交流・移住もさかんに行なわれました。

この約1000年間の後半の300年余り、アレクサンドロス大王の遠征に始まる「ヘレニズム時代」には世界市民主義（コスモポリタニズム）という潮流が生まれ、民族の違いを超えた新しい理念が広まっていきました。ヘレニズム時代には、民族の対立は表面上、解消されました。ただし、奴隷制度は残ります。

そして何よりも、地中海を中心に人々の移住を含めた動きがさかんに行なわれ、「パックス＝ロマーナ」といわれる安定が実現されるに至ったことは、人類史上の注目すべき一時期であったと評価されてもいいでしょう。

この「パックス＝ロマーナ」という言葉は、18世紀のイギリスの歴史家ギボンが『ローマ帝国衰亡史』のなかで、五賢帝時代（96～180、古代ローマの最盛期）を含む、ローマ帝国の安定期を表して使ったのがはじめてです。強大な一国による国際関係の安定を表すときに「パックス＝〇〇〇」として使われますが、ローマの歴史家タキトゥスは「ローマ人は廃墟をつくってそれを平和と呼ぶ」と痛烈に批判しています。19世紀のイギリスもそうですが、強力な軍事力を背景にしないと、広域に安定がもたらされないというのは人間の能力の限界を示しているのでしょうか。

インド洋・太平洋の民族移住

地図を利用していろいろなことが表せますが、アウストロネシア系語族の広がりを示す地図には、多くの方が新鮮な驚きを隠せないでしょう。北は台湾やハワイ諸島から、西はマダガスカル島、東はペルー沖のイースター島、南はニュージーランドまで、オーストラリア大陸（アボリジニの言語）とパプアニューギニア（パプア諸語）の一部をのぞく、インド洋・太平洋のすべての島々がすっぽりと含まれてしまいます。もちろん、統一された言葉ではなく800～1000の言語があるといわれています。分布範囲が広いにもかかわらず、言語間の類似性が非常に高いことが注目されます。

この語族の祖先は、人種的にはモンゴロイドで、前6000年頃に中国の福建省《ふっけんしょう》から台湾に渡ったと考えられ、その一部は黒潮に乗って日本列島にも渡り、沖縄県から静岡県までの太平洋岸にはその末裔《まつえい》が多いとされます。台湾に渡った人々の一部は、今から5000年ほど前にフィリピンやインドネシア方面に移り、さらに1000年ほど後にはスラウェシ（旧称はセレベス）島やカリマンタン（ボルネオ）島に至りました。その一部は5世紀頃に、スマトラ島とジャワ島の間のスンダ海峡を越えてマダガスカルまで到達したと考えられています。この海域は８０００キロ以上も離れていますが、インド洋のモンスーン（季節風）を利用したと説明されます。

スラウェシ島に移った人々こそが、太平洋の歴史をつくり上げたのです。彼らはニューギニア島などに沿って東進し、その過程で、先住のパプア人などと混血していきます。そして船体の横に浮きを付けることで安定して航海できるアウトリガーカヌーを使って太平洋に乗り出したのです。前１０００年頃にはフィジー諸島に到達し、ポリネシア文化をつくり上げ、紀元１世紀頃になるとさらに東方へと漕《こ》ぎ出します。ソシエテ諸島やマルキーズ諸島に至り、そこからさらに東方に進みイースター島、また北方へと進みハワイ諸島に住み着きました。

彼らが広がっていった太平洋の島々で、ハワイとニュージーランド、イースター島でできる大きな正三角形の内側をポリネシアといいます。このポリネシアの西北地方がミクロネシアになり、この地域にはポリネシアから入ってきた人々と、フィリピンからやってきた人々との二つの要素が明らかにされています。メラネシアは東経１８０度の線から西方で、肌の色が黒い人々が多く、ニューギニア周辺のパプア人との混血により生まれたと考えられています。

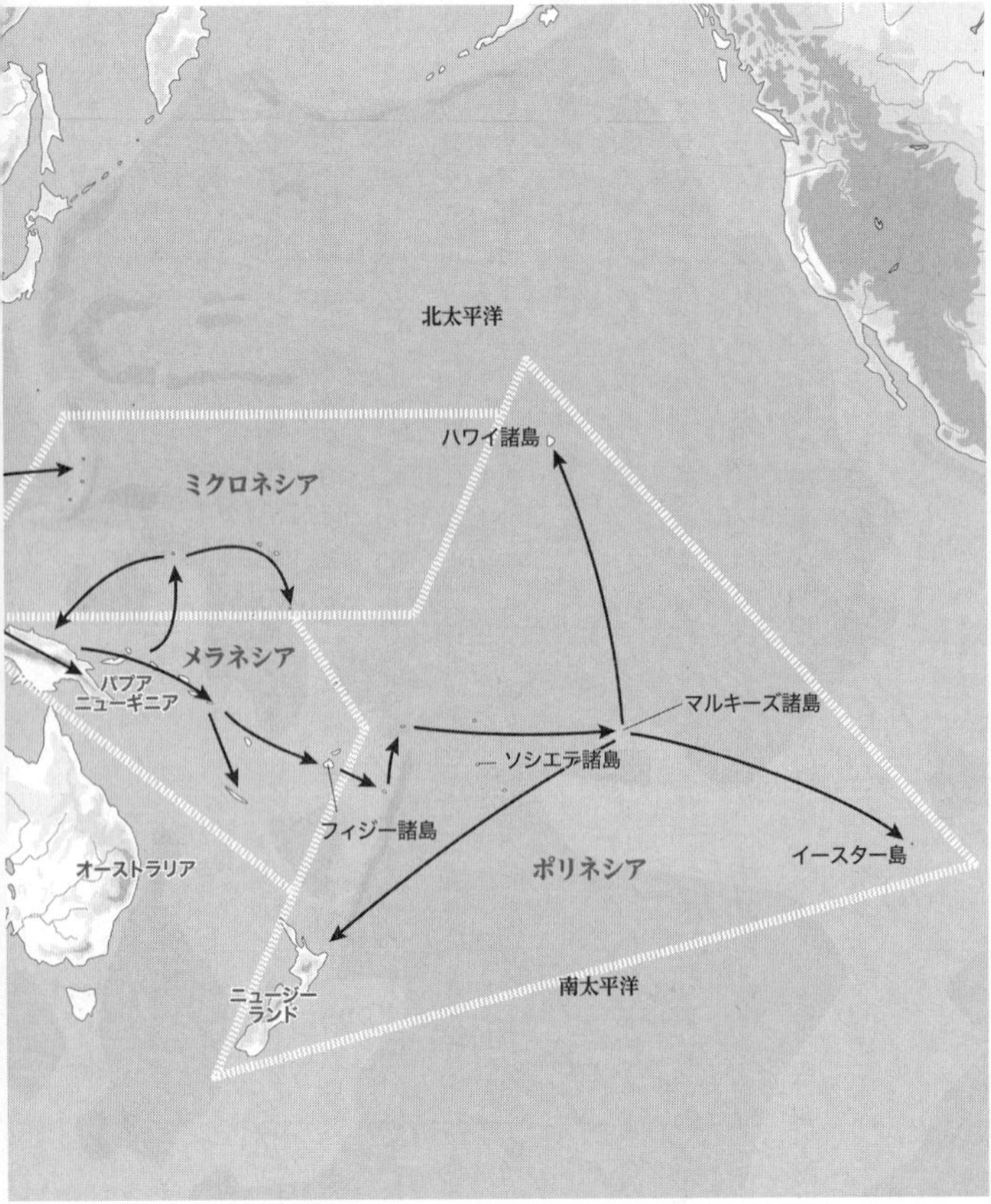

※『人類大移動 アフリカからイースター島へ』印東道子 編（朝日新聞出版）を参考に作成

太平洋・インド洋の地名および
アウストロネシア諸語の拡散
日本海
チベット高原
ヒマラヤ山脈
中華人民
共和国
東シナ海
ネパール
ブータン
インド
ミャンマー
台湾
ラオス
タイ
ベトナム
カン
ボジア
フィリピン
南シナ海
マレーシア
カリマンタン島
スリランカ
アチェ
インドネシア
スラウェシ島
スマトラ島
シンガ
ポール
ジャワ島
バリ島
インド洋
マダガスカル
言語学から見た
アウストロネシア系語族の移動経路
経路が定かでない移動

Chapter 3

中国エリア
前3世紀頃

秦時代につくられた漢民族という集団

概論

年配の世代にとって、国際政治・経済において今の中国（中華人民共和国）のもつ意味が、これほど大きなものになってきていることは大きな驚きではないかと思われます。人権抑圧や強硬な外交姿勢に関して、国内外からの批判が出ていますが、そのようなことはものともせず、強引に政策を実行していく中国指導者の姿に、不満も大きいでしょうが、同時に共感・羨望《せんぼう》を覚えている人々も多いことと思われます。現実の問題として、14億の国民を飢えさせないで国家を運営していくのは大変なことでしょう。人口が10億を超える国家は中国のほかにはインドくらいなのですが、どうしてこのような巨大な人口を抱える国家ができあがってしまったのでしょう。そして、それが「漢《かん》民族」といわれるゆえんはどこにあるのでしょうか。

漢民族の「漢」は漢字の「漢」

現在の中華人民共和国でも「漢民族」についての定義は非常に難しいようで、認定された少数民族以外はすべて「漢民族」という、漠然としたとらえ方だそうです。

しかし、この「漢」は「漢字」に由来するため、学者のなかには「漢字を識《し》っている人々、漢字を識ろうと願ってきた人々の集団」が漢民族の定義だ、とする人もいるそうです。日本人はどうなのだという意見が当然出てきますが、ここでいいたいのは、広大な中国で、話し言葉の相違《そうい》を超えて漢民族を結び付けてきたのが、「漢字」だということです。

「漢字」の「漢」は「漢帝国」に由来します。漢の建国者である劉邦《りゅうほう》は、秦《しん》を滅ぼした後、領地として、現在の陝西省《せんせいしょう》の南西部に位置する「漢中《かんちゅう》」を与えられました。やがて彼は、項羽《こうう》との戦いに勝利して新王朝を建てますが、所領にちなんで王朝名を「漢」としました。短命に終わった秦に比べて長期安定政権になった「漢」が、中華民族を表す言葉にもなったのです。

もちろん、単純に漢字を母語にしている民族を「漢民族」と定義してしまうの

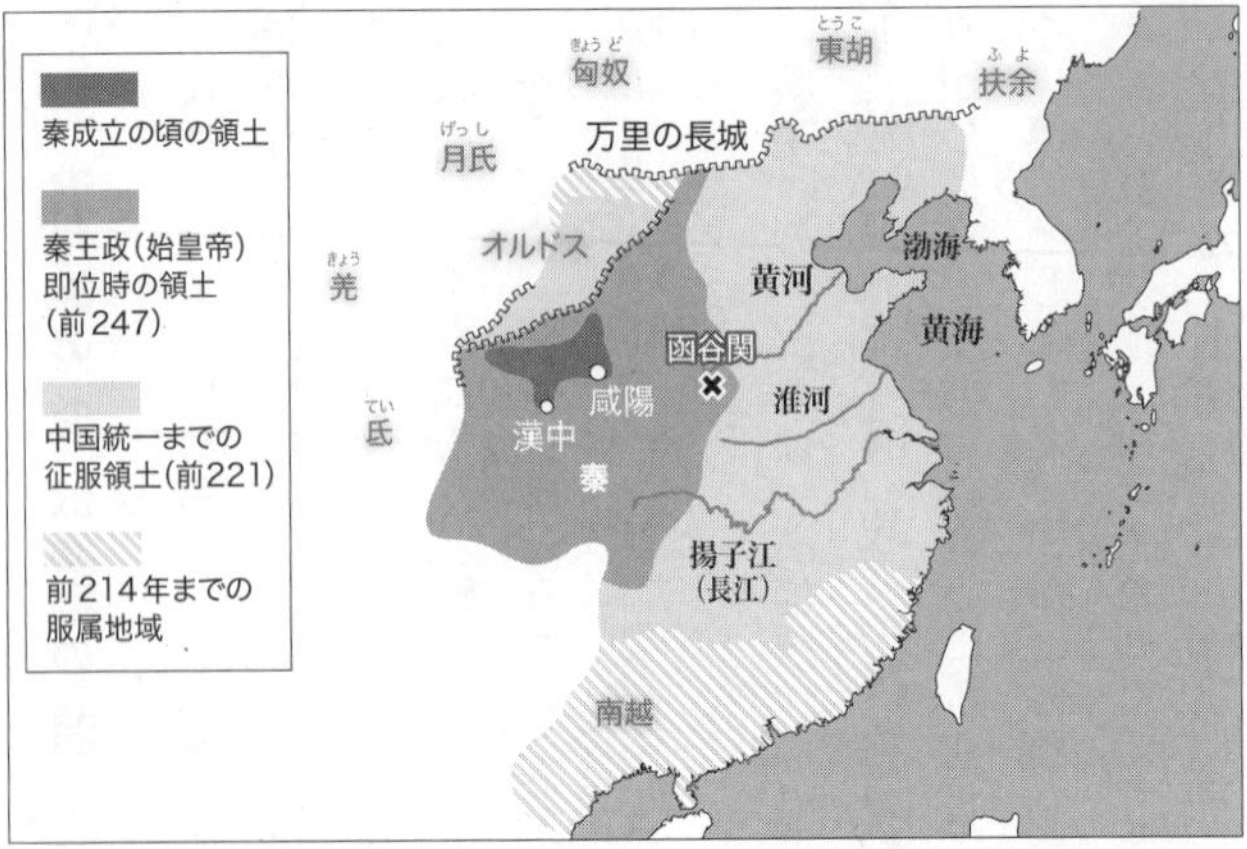

秦が拡大していった様子。漢の時代にさらに領土を広げ、これがほぼ現在の中国の領土となっている

は無理があるようにも思えます。しかし中国ではそれが、じつに今から2200年以上も前に実現したのです。500年以上も続いてきた春秋《しゅんじゅう》戦国時代の混乱を収拾し、秦の始皇帝（在位前221〜前210）は中国を統一しました。中央集権国家の建設のため、貨幣や度量衡《どりょうこう》に始まって、さまざまなものを「統一」しましたが、そのとき「文字の統一」も行ないました。

　このことの意味の大きさは計り知れないものがあります。広いだけでなく、戦国時代の有力者がなお存在する中国が中央集権的に維持されていくには共通の文字を理解する、中央から派遣された官僚による「文書行政」が不可欠になります。しかし、漢字の発音までは統一することはできませんでした。そのため今日でも同じ国内にありながら、南北そのほかで会話が通じないという事態もありますが、漢字によって意思の伝達はできます。秦は短命に終わった王朝ですが、その精神を継承した漢王朝がこれを完成させたということで、大きな評価が与えられるのは故《ゆえ》あることです。

かつまた、この秦から漢の時代にかけて形成された領土が基本的に中国の中心となりました。17世紀に成立した清朝の時代には、中央アジア（新疆《しんきょう》）やチベット、モンゴル（大部分はのちに独立）をも併合しましたが、それにしても広大な国家（現在、ロシアとカナダにつぐ3番目）を2200年以上にわたって維持してきています。

周辺国への優越感を込めた「中華」という言葉

中国史を扱うときによく出てくる、もう一つの言葉が「中華」です。「中華民国」や「中華人民共和国」に使われますが、「中華帝国」という言葉もよく聞きます。先に、漢以来の中国の領土を紹介しましたが、それを考えるとき、漢字のおもしろさを感じます。まず「国」という字ですが、これは「國」が元の字です。「囗（くにがまえ）」

という部首に「或」が囲まれています。「或」は「戈《ほこ》」であり、「戈」で「囗」（四方の境界）を守るという意味になり、戦国時代の各国の首都や漢代の諸侯の封地《ほうち》を指していました。

そんななかで「中国」という言葉の使い方では、とくに周辺、つまり東西南北の夷狄《いてき》の存在が意識されます。中国を上位において、周辺の民族を考える傾向が強まり、秦の統一から漢帝国が形成されるにつき、統一体としての「中国」という用法が固定化してきたとされます。そして、その中国では、王朝の興亡はありますが、文化的な共通性や時間的な連続性をもつ地域（といっても広いのですが）、人間を抱え込む空間が意識されるようになってきます。鎌倉幕府や江戸幕府などと区分はしても、同じ日本という意識が出てくることに対応します。

中国には、遼《りょう》（契丹《きったん》族、916~1125）や金《きん》（女真《じょしん》族、1115~1234）、元《げん》（モンゴル民族、1271~1368）、清《しん》（満洲族、1616~1912）という、いわゆる「征服王朝」が出てきます。中国の原理的意味からいくと、これは許されないものであり、実際に、厳しく非難する学者が出てくるのは当然です。たとえば、朱子学を始めた朱熹《しゅき》などはその典型になります。ところがいっぽうで、夷狄であっても中国的な「礼」を身に付ければ中国と見なしてもよいという学者も出てきます。清の雍正帝《ようせいてい》は『大義覚迷録《たいぎかくめいろく》』を著《あらわ》し、古典にも即して征服王朝・清の立場を正当化し、批判する学者を論駁《ろんばく》しました。

そして現在の中国の国名にも使われる「中華」ですが、これも長い歴史をもつ言葉になります。単純に、農耕地帯と遊牧地帯に区分しますと、農耕地帯である中国の周辺には遊牧民が存在しました。周《しゅう》から春秋戦国時代にかけて中国の文化が爛熟《らんじゅく》するなかで、周辺民族に対する優越意識から諸夏《しょか》・華夏《かか》・中華・中夏《ちゅうか》・中国というような言葉で、みずからの国土を誇り始めたのです。「中」は地理的にも文化的にも中心、「夏」は「大」の意味（中国最古の王朝名でもあります）、「華」は優れた文化を意味します。華夷《かい》思想は、みずからを誇り、周辺民族を卑下するなかに生まれてきた一種の民族（国家）主義思想ともいえます。

範囲を拡大し続ける漢民族の「質的な変化」

先に漢民族の「漢」は「漢字の漢」であるという説明をしました。では、そのような「民族」はどのようにして形成されてきたのでしょう。最初から現代のように広大な領土があったわけではなく、実際問題、春秋戦国時代には、春秋の五覇とか戦国の七雄といわれる有力者が率いる諸国が対立し、弱肉強食の戦いが続いていました。

漢民族の始まりと考えられる人々が出現したのは、今から4000～5000年ほど昔と考えていいでしょう。彼らは、黄河中下流域の、いわゆる黄土地帯で農耕を始めました。黄河流域は、揚子江《ようすこう》（長江）流域のような森林地帯ではなく、開墾《かいこん》が比較的簡単に行なわれ、それを基礎にして文明が形成されていきました。伝説の三皇五帝に続く夏（実在か非実在か、断定はされていません）・殷《いん》・周と王朝が続くなか、周辺の蛮族への優越感を前提にしながら「中華」意識が大きくなっていきました。しかしながら、この頃の「中華（漢民族）」は、河南省を中心とした、山東省・山西省の多くの部分、そして陝西省や河北省の一部でした。

夏・殷・周という王朝が興亡したのはこの地域だったのでしょう。これらの王朝は19世紀まで、「伝説」の王朝だったのですが、甲骨《こうこつ》文字の「発見」から始まって殷の遺跡、いわゆる「殷墟《いんきょ》」にたどり着いたのが19世紀の末、そこが本格的に発掘調査されたのが1930年代です。それ以降の考古学的発掘や、文献史料の解読な

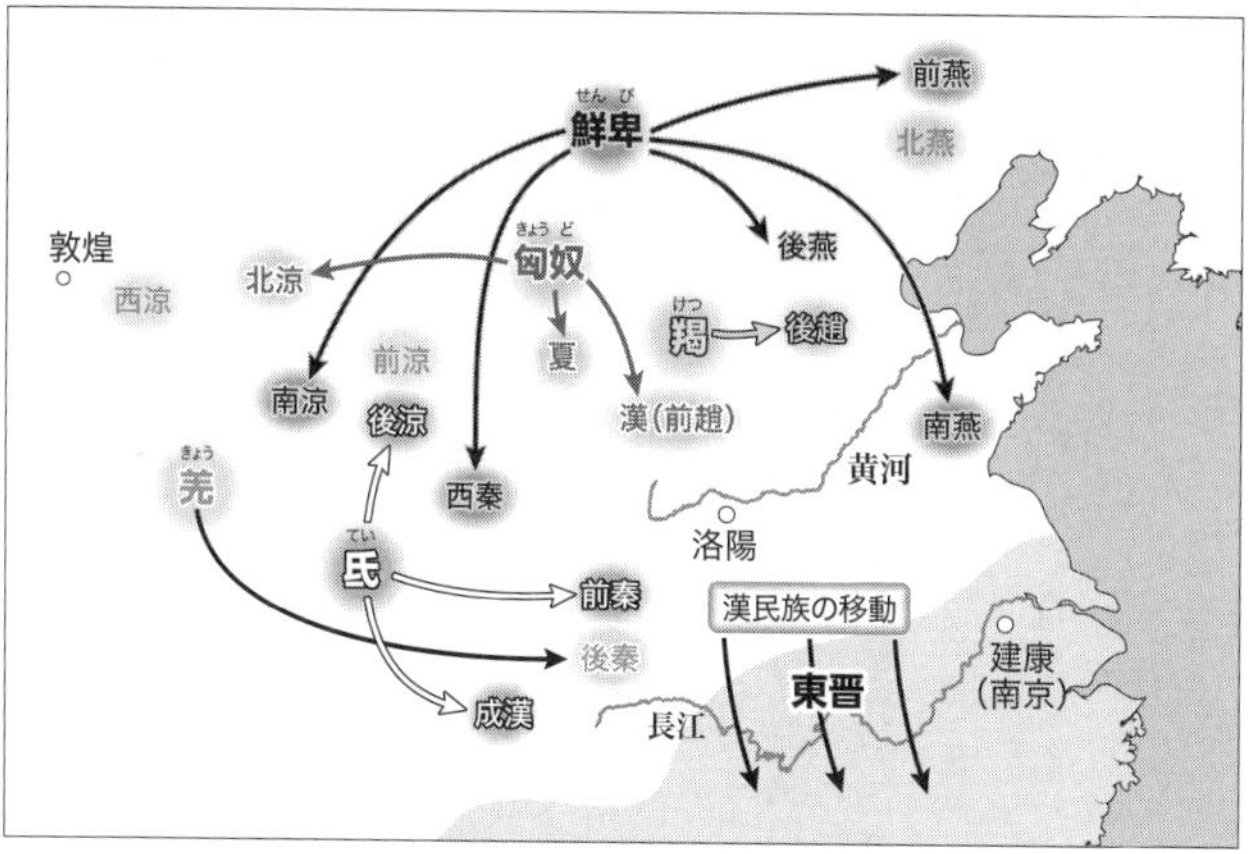

３０４～４３９年にかけて、五胡と呼ばれる五つの遊牧民族が侵入し、16の国が興亡した。このとき、漢民族は東晋を建て、南進した

どにより、伝説であった王朝の実在が証明されています。前７７０年、周が弱体化して都《みやこ》を遷《うつ》さざるをえなくなって、５５０年にもわたる春秋戦国時代が始まります。

戦国時代末期には漢民族の勢力は長江の流域に達し、秦それに続く漢帝国で全土が統一され、地理的には今日の「中国」が実現したのですが、この段階ではまだ軍事的・政治的なレベルであり、文化の中心は華北にありました。江南の地が本格的に開発され、中国経済の中心になっていくのは、三国の呉《ご》が建国され、さらに三国時代を終焉させた（西）晋《しん》が滅亡、その一族が南下して東晋を建国し、多くの「漢民族」が華北から江南に移って以降のことになります。

このように、漢民族の居住地とその文化は、秦による統一後、長い時間をかけて中国全土に広まっていったのですが、周辺の夷狄との関係が無視できません。つねに対立しながら歴史が展開されてきたことはともかく、両者の間にはさまざまな形での融和・混血・同化があったのです。

中国の観光名所の一つで、とくに有名なものに万里の長城があります。これがとくに重要な意味をもったのは、秦から漢の時代、そして明の時代とされます。元になる長城が建設された春秋戦国期はともかく、それ以外の時代は意外と融和が進んでいたと考えてもいいでしょう。

漢の時代でさえも、王昭君《おうしょうくん》(前漢の元帝の時代、匈奴《きょうど》の呼韓邪単于《こかんやぜんう》に嫁《とつ》がされた官女)のような和蕃公主《わばんこうしゅ》(政略上、異民族の君長《くんちょう》に嫁いだ皇族の女性)が贈られることがあり、平和的な関係も続きました。そのようなことも含めて、隋《ずい》・唐以降の中国史では、「漢民族」の国家とはいいながらも、大きな質的変化が生まれていきます(Chapter 16参照)。

漢民族の根幹に儒教の影響が見える

漢民族や中華意識など、一般的な言葉ばかりを並べてきましたが、中国の歴史がつくられてくるなかで、中国独特の思想も形づくられました。それが出てきたのは、春秋戦国時代という混乱の時代だったことが注目されます。国家間や君臣間で、弱肉強食・下剋上の対立が続くなか、「平和」という抽象的な言葉はともかく、やはり人間は社会の安定を求めます。春秋戦国時代は、安定のための思想を競い合った諸子百家《しょしひゃっか》を輩出《はいしゅつ》した時代でもあったのです。中国思想の原点は、この時代にでき上がったともいえます。

実際の思想の形成過程はともかくとして、中国の為政者にとって、三皇五帝から周に至る時代は理想の時代でした。堯《ぎょう》から舜《しゅん》、舜から禹《う》と、位は「禅譲《ぜんじょう》」（有徳な人間が有徳な人間に位をゆずることです）されましたが、禹がそれを「世襲」したため、夏「王朝」が誕生します。しかし、この夏王朝も末期になると理想の時代とはいうものの、しだいに体制は弛緩《しかん》し、最後の王になる桀《けつ》は、殷の湯王《とうおう》によって「放伐《ほうばつ》」（武力で位を奪うこと）され、国を滅ぼされます。その殷も最後の紂王《ちゅうおう》の時代には体制が弛緩し、周の武王《ぶおう》の手によって滅びました。その周も幽王《ゆうおう》（在位前782～前771）の時代には弱体化、都を鎬京《こうけい》（現在の西安辺り）から洛邑《らくゆう》（のちの洛陽）に移したことから、春秋の五覇などに代表される諸侯たちが相争う春秋時代が始まります。

春秋から戦国にかけての頃、周に代表される理想の時代を説いたのが孔子《こうし》になります。彼は理想の時代の社会の規範として血縁倫理（家族道徳）を説き、仁（博愛・同情）や徳（優れた品性・人格）による徳治政治を求めました。魯《ろ》という小国に生まれた孔子にとって、斉《せい》などの大国の圧力の下で理想論を説いたのですが、現実の政治は厳しく、孔子の理想主義は受け入れられませんでした。

その孔子を継承する孟子《もうし》は、儒教の政治論を深めます。現実に行なわれている政治を「覇道」として批判し、人間の善なる性（性善説）に基づいて行なわれる「王道」政治を示しました。また、易姓革命《えきせいかくめい》論を説きます。易は「かわる」こと、姓は「血族」、革命は「王朝や支配階級が代わること」で、要するに、堕落した為政者を見限り、有徳の人間に政治を命じるという中国独特の革命論です。そこで禅譲や放伐の考え方が出てくるのです。彼の時代になると、儒教に注目する国家も多くなり、そのような人材を抱えた魏《ぎ》が隆盛しました。しかし、中国の混乱は続きます。孟子の性善説を批判し、性悪説を唱えたのが荀子《じゅんし》です。彼はけっして悪を肯定したわけではなく、その悪を抑えるためには「礼《れい》」、人間が守るべき正しい行ないを実践すべきと説きます。

この荀子の立場を受けて、「礼」を「法」に代えたのが法家の商鞅《しょうおう》や韓非子《かんぴし》です。彼らは、厳格な法治主義を採用、法律に基づいて人民を厳しく統治し、強力に富国強兵を実践しました。孔子の説いた徳治主義は、現実的な政策の前に色を失っていきました。商鞅の変法《へんぽう》（国家体制の根本的変革をいいます）によって、戦国の七雄のなかの秦が強大化していきます。そんなとき位にあった秦王の政《せい》（始皇帝）は、法家の李斯《りし》の助けを得て、前221年に中国の統一に成功します。秦に始まる「皇帝」の称号は、それまでの血縁的な要素の強い「王」とは異なり、一人ひとりの人民を直接支配する強力な権力者を表す言葉として出現しました。

過ぎたるはおよばざるがごとし、といいますが、秦の採用した信賞必罰《しんしょうひつばつ》の法治主義と急激な中央集権化に戸惑った中国人は秦の支配に反旗を翻《ひるがえ》しました。このため秦は3代15年余りで滅亡しますが、その反抗の中心人物であった劉邦は、南方の楚《そ》の指導者・項羽を破り（楚漢戦争）中国を再統一、漢王朝を樹立したのです。

漢は、秦の政策の失敗への反省から郡国制を採用します。これは郡県制と封建制を折衷《せっちゅう》させたものですが、じょじょに皇帝権力を強化していったことはいうまでもありません。そしてそれ以上に重要なのが、儒教が復権してきたことです。法家思想は混乱の時代には有効なのですが、安定した社会では危険な要素も出てきます。前2世紀半ば、武帝（在位前141～前87）は董仲舒《とうちゅうじょ》を採用して儒教精神に基づいた政治体制を強固なものにしていきました。漢民族は、漢字という共通文化をもっていることは先に書いたとおりなのですが、それに儒教が加わり、中国の特色がさらに強化されていきます。和蕃公主も、血縁関係をもつことによって北方民族との関係を安定させるという脈絡《みゃくらく》のなかで理解できますし、中国人の祖先崇拝の精神も、まさしくこの儒教に基づくものです。

14億人をまとめるために必要となった民族主義

「漢民族」や「中華」という言葉は、かなり頻繁に聞くようになっています。現在の中国の人口は14億ともいわれます。このような比較は陳腐ですが、日本の人口はその10分の1、その日本でもお国自慢がありますし、人それぞれに考えは違います。このような点では中国人も同様といえるのですが、中国の場合、もっと複雑な問題が絡《から》んできます。近代の国家は国民主義を前提にして建国されますが、中国の場合、今から2200年以上も前に、周辺諸国を制圧しながらできあがった国家が、王朝は交代しながらも今日まで続いてきています。そのような国家が、近代的な国民主義に目覚めたとき、どのような国策を展開するのかがおおいに注目されます。

Chapter 4

インドエリア
前26～後10世紀頃

穏やかに同化の進んだドラヴィダとアーリヤ

概論

インドという国はとらえがたい複雑さをもっています。国家としての「インド共和国」を考えただけでは十分ではなく、パキスタンやバングラデシュ、スリランカ、さらにはネパールやブータンなども含めた「南アジア」世界という目で見ないと、中途半端なものになってしまいます。加えて、われわれがふつうの地図でインドを見た際のイメージでは、国土は平坦なのですが、実際は高原や山脈、河川によって複雑に分かれています。そこに移動した民族はドラヴィダ人とアーリヤ人だけではありません。さらに中央アジアだけではなく、海路からも移動してきます。現在では1000を超える言語が存在しています。これに社会的規範も規制する宗教が絡み、簡単には説明できない国家になっているのです。

インダス文明の担い手は謎のまま

インド史は、現在のパキスタン領内で成立した「インダス文明」（最近は「ハラッパー文化」ともいいます）から始まります。前2300年頃からインダス川流域、パンジャブ地方で農耕が開始されていました。しかし、その生産性は低く、必然的に都市が小さかったことが、それらをまとめる巨大な王権が出現しなかった理由になります。

しかしながらモエンジョ＝ダロやハラッパーに加え、最近発見されたドーラヴィラー（パキスタンではなくインド西北部のグジャラートです）など、都市遺跡は多く、それらは都市計画に基づいて建設されています。集会場や沐浴場《もくよくじょう》、穀物倉庫など公共建造物は焼き煉瓦《れんが》が使用され、技術の高さを指摘されているものの、その体系化が難しいのは「インダス文字」の解読が進まないことも一因です。また、南アジアの文明の源流になっていることも否定できません。牛の神聖視やシヴァ神（破壊と創造の神）、リンガ（男性の生殖器を形どった偶像）の崇拝は、バラモン教やそれに連続するヒンドゥー教にも継承されてきています。

この文明の最大の謎は、それを担った人々のことがよくわからない点にあります。今日、南インドに多いドラヴィダ人ではないかという説が有力ですが、彼らがいつインドに入ってきたかという問題を含め、断定的な証拠は何もありません。前3500年頃にイラン方面からこの地に移住し、その一部が南インドに移ったとする説は、インダス文字がドラヴィダ系言語であると仮定しているもので、決定的ではないのです。

この文明の衰退原因もはっきりしません。前1800年頃から気候が変動し、川の流路が変わったことが指摘されるほかに、南下してきたアーリヤ人に南方に追いやられたという説もあります。確かにドラヴィダ人はインド南部を中心に分布しているものの、アーリヤ人と長い時間をかけて同化したりもしています。そのため、インドの南北がドラヴィダ人とアーリヤ人にはっきり区分されているわけではありません。南インドが、北インドのアーリヤ系文化の影響を受けるのは6~7世紀頃からとされます。

南インドの住民は東南アジア各地への進出に積極的で、その結果、インド文化の東南アジアへの拡大に貢献したことは確かです。9世紀頃、南インドを統一したチョーラ朝の時代、彼らはスリランカ（セイロン）やスマトラ方面に拡大しますが、

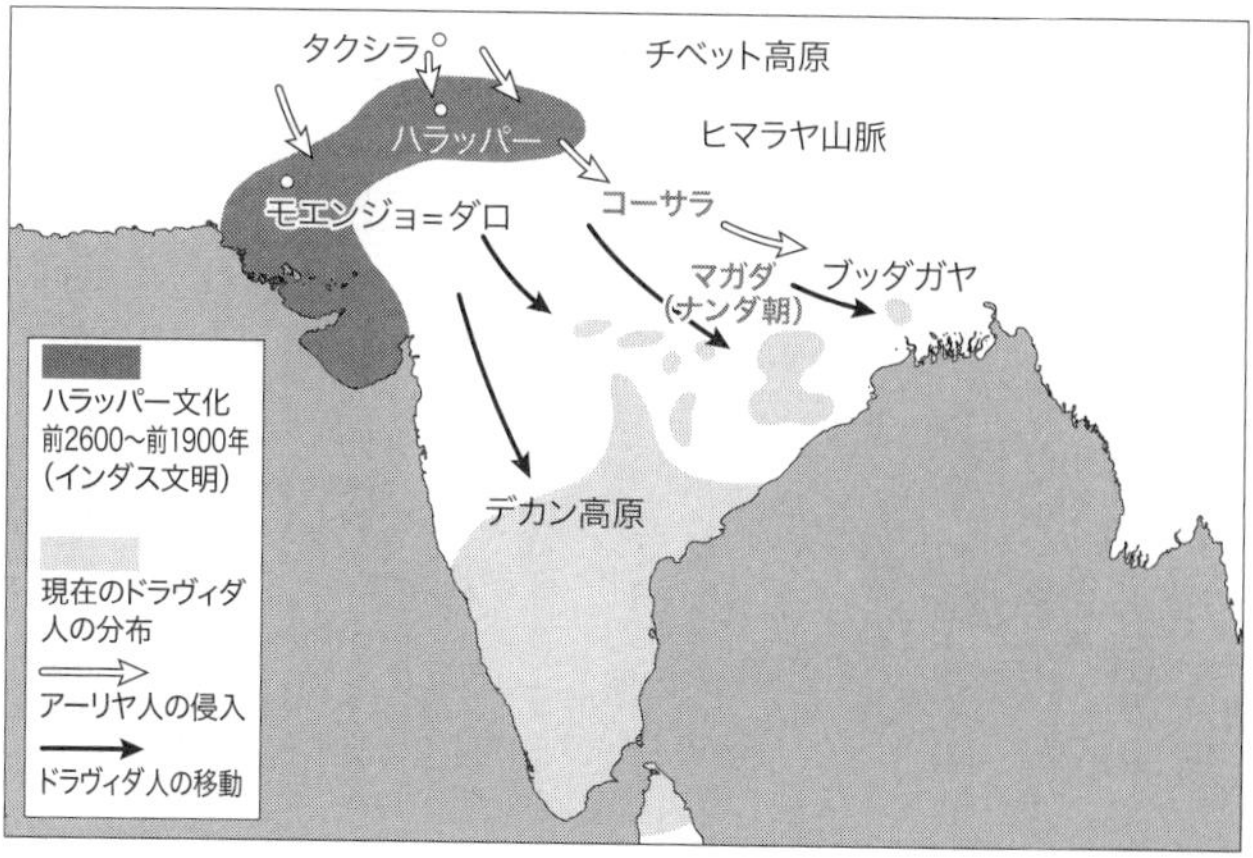

アーリヤ人の侵入とドラヴィダ人の移動。移動の理由は定かではないが、現在、ドラヴィダ人は南に多い

南インドでヒンドゥー文化（後述）が確立したのは、この時代といわれます。

インドには、ドラヴィダ人・アーリヤ人以外にもさまざまな民族が南下してきます。それとともにゾロアスター教やイスラム教なども入ってきます。北方がヒマラヤ山脈、南方の東・西海岸がインド洋に囲まれており、大規模な海洋脱出は行なわれなかったため、民族・宗教が、時間をかけて複雑に混交していきました。それでも、大雑把に、北部ではアーリヤ人が多く南部にはドラヴィダ人が多いという状況ができあがっています。

アーリヤ人の南下と支配

アーリヤ人（「高貴な人」の意味です）はイランとインドに定住した人々のことです。両者ともに中央アジアを中心にいたインド＝ヨーロッパ系の言語を話す遊牧民です。前2000年紀にその一部が南下し、イラン北東部に入り、さらにアフガニスタンを経てインドに移住したと考えられます。残りの一部は、2波に別れ、イラン北東部から南西部に移住しました。イランの名称は、第2波のアーリヤ人にちなみます。両民族はそれぞれの地域で先住民と融合し、独自に宗教や文化を発達させ、同じアーリヤ人でも大きな違いがあります。

インドに南下したアーリヤ人は馬に引かせた2輪戦車と青銅製の武器を駆使して、パンジャブ地方の集落を襲い、そこを支配下に入れました。さらに前1000年頃に肥沃《ひよく》なガンジス川流域に移住し、そこで農耕を本格化させ、先住民（どのような人々であったかははっきりしません）から学んで、稲作も拡大させました。その時代には鉄製農具の使用も始まり、生産力を上げたことが、ガンジス川流域に古代帝国を成立させます。

征服者であるアーリヤ人は、征服された先住民と区別するため、肌の色の違いから「ヴァルナ（色）」という言葉を使いました。ヴァルナには「身分」とか「階級」という意味も加わり、さらには「種姓《しゅせい》」、つまり一般にいわれる「カースト制（バラモン、クシャトリヤ、ヴァイシャ、シュードラの四つの宗教的社会身分を指します）」になります。ポルトガル人がインド社会を見て、ポルトガル語の「血統」を表す「カースト」をあてはめました。インドでは「ヴァルナ」と「ジャーティー」という言葉を使います。「ジャーティー」とは「生まれ」という意味になります。インド社会では、ヴァルナとジャーティーが大きな意味をもちます。

ただし、カースト制度がインド社会を決定する身分秩序になるのは、イギリスによる植民地化の過程においてであり、それ以前の社会ではおだやかに維持されていました。

仏教、ヒンドゥー教にも受け継がれるバラモン教の根底の思想

アーリヤ人はバラモン教の経典『ヴェーダ』を編集しました。一般に農耕社会では、豊作を願い神々を崇拝し、神々をたたえる祭式を行ないます。それを執り行な

う司祭がバラモンです。世俗《せぞく》的社会秩序の維持のため、王侯などのクシャトリヤ勢力が出現し、さらに一般の庶民階級はヴァイシャと区分されます。アーリヤ人の支配下に置かれていたのがシュードラになりますが、次第にヴァイシャとシュードラは職業によって再編されていきます。

このように『ヴェーダ』を根底にしてできあがったのがバラモン教で、バラモンのもつ権威は大きかったのですが、やがてバラモンの行なう儀式を形式的として批判する勢力も出てきます。バラモンはこれに対抗し、『ヴェーダ』の研究を深め、「ウパニシャッド」哲学に行きつきました。これは「奥義書」と訳され、そこでは宇宙の本体ブラフマン（梵《ぼん》）と人間存在の本質アートマン（我《が》）が一体化する境地「梵《ぼん》我一如《がいちにょ》」が説かれます。また並行して霊魂は不滅であり、人間は「業《ごう》（行為）」によって「輪廻《りんね》（生まれ変わりをくり返す）」するという考え方も生まれます。これがインド思想の根底になっていきます。

そこで一番切実な問題は、いかに「輪廻」から離れて「解脱《げだつ》」するかということになります。ウパニシャッド哲学ではバラモンのみがそれが可能と説きます。ジャイナ教や仏教はそれを批判しました。両者は、生きることを「苦」と考え、ジャイ

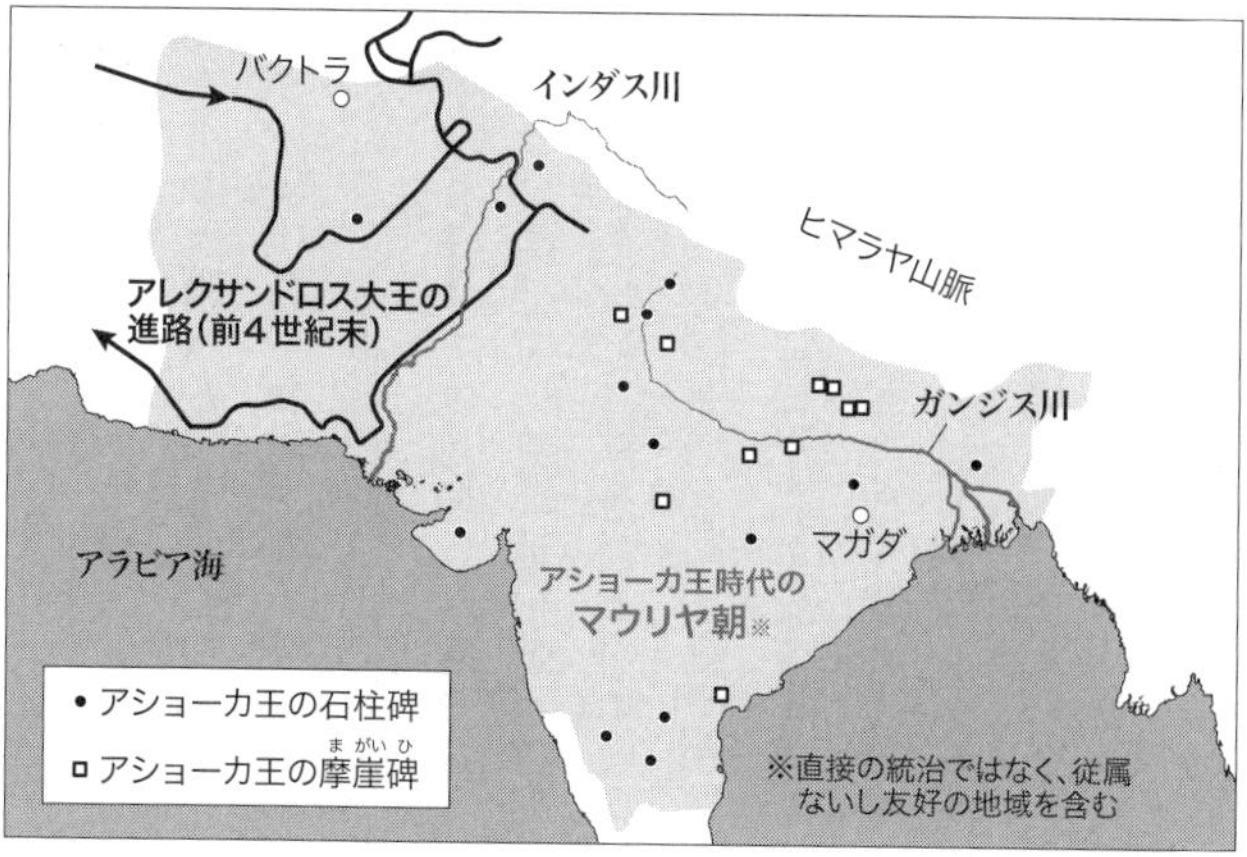

アレクサンドロス大王の侵攻もあり、マウリヤ朝によるインドの統一が進んだ

ナ教はそれを克服するため極端な不《ふ》殺《せっ》生《しょう》を説きます。ジャイナ教の極端な不殺生主義は武士はもちろん土の中の虫を殺してしまう農民も受け入れず、小規模な金融や小売りの商人しか信者になれませんでした。そのため商人階級であるヴァイシャを中心に信仰され、今日も、多くの信者を集めています。

仏教では、苦の原因を諸行《しょぎょう》無常《むじょう》（すべては移り変わること）に気づかず、物事に執着すること（我執《がしゅう》）にあるとし、八正道《はっしょうどう》（正しい生活、正しい見解など八つの聖なる道。ただし、何が正しいのかは具体的に示されていません）の実践による解脱《げだつ》を説きました。仏教（仏陀《ぶっだ》の教え）

はバラモンから不可触民《ふかしょくみん》（ヴァルナの枠《わく》の外に置かれた被差別民）まで社会の各階層におよびましたが、経済的に仏教教団を支えたのは国王・貴族や大商人などのクシャトリヤ階級が中心でした。

ジャイナ教や仏教が多くの支持を集めている頃のガンジス川流域は、経済活動がさかんで、それを背景に政治的統一も進みました。前600年頃から、中小の国家が並立する十六大国時代になります。そのなかで抜きんでていたのが、コーサラ国やマガダ国です。前6世紀頃、西方のアケメネス朝ペルシア、さらに前4世紀になるとアレクサンドロス大王の率いるマケドニアがインドに侵入してきます。それに対抗して、インドでも国家統一が進み、前4世紀後半、マガダ国マウリヤ朝が成立しました。ここに出たアショーカ王（在位前268～前232頃）が仏教を信奉し、仏教はインド全域にまで広がります。

紀元後、中央アジアからインドに侵入してきたクシャーナ朝のカニシカ王（在位130～170頃）も仏教を保護しました。この間、仏教内にも対立が生まれ、大《だい》乗《じょう》仏教と上座部《じょうざぶ》仏教（「小乗《しょうじょう》」は大乗側からの蔑称です）が成立します。出家者中心の救済を目指す上座部に対し、大乗仏教では在家信者の救済を目指し「菩薩《ぼさつ》信仰」

を中心に考えます。この大乗仏教は北西インド地方を中心に信者を集め、中央アジアを経て中国、朝鮮や日本に伝えられました。これとは対照的に、上座部仏教はスリランカを経て東南アジア諸地域に伝えられます。

バラモンにとっては長い冬の時代。彼らはインド人の生活の伝統のなかで信仰されてきた、シヴァ神やヴィシュヌ神など、非アーリヤ系の土着信仰も取り込んだヒンドゥー教を生みます。仏教にも優れた学者は出たのですが、かつての勢いをじょじょになくしていき、7世紀のヴァルダーナ朝時代を最後に、ヒンドゥー教にとって代わられます。なお、玄奘《げんじょう》がインドを訪問したのはこのヴァルダーナ朝時代のことになります。

ゾロアスター教徒とシーク教徒、人の移動とともに宗教も変化

インドの宗教は多様で、ヒンドゥー一色ではありません。8世紀（10世紀とも）頃、アラブに滅ぼされたササン朝の末裔《まつえい》が海路から移住してきます。インド北西部のグジャラートに拠点を置き、そこでイラン伝統のゾロアスター教の信仰を守ります。「ペルシア」にちなんで「パルシー」と呼ばれ、グジャラートのマハラジャ（地

方の支配者）の保護を受け、のちにイギリスの東インド会社とも関係をもちます。人口は少なくとも、インド経済界で大きな力をもっていました。

シーク教は、ヨーロッパで宗教改革が行なわれていた16世紀、インドの宗教改革者ナーナクによって始められました。ナーナクとヒンドゥー教やイスラム教の関係は十分に明らかにされていないようですが、彼は両宗教の形骸《けいがい》化を批判しました。シーク教は主に富裕層や教育程度の高い人々が信仰しています。教義は平和的ですが、ムガル帝国による圧迫に抵抗し、その弱体化に乗じて19世紀にはパンジャブを中心にシーク教国を建てましたが、イギリスとの戦いに敗れて王国は滅亡します。のちに旧シーク教国領はイギリスからの独立に際し、インドに編入されました。しかしシーク教国の独立を目指す声もあり、１９８４年にはインディラ＝ガンジー暗殺事件などを起こしています。

イスラム教の流入で宗教対立が始まる

イスラム教がインドに流入してくるのは10～11世紀頃です。すでにインドでは長い時間をかけてヒンドゥー教社会が強固にできあがっていました。ここに、多神教で社会的な差別制度の上に成り立つヒンドゥー教と、一神教で信者は平等とするイスラム教の対立が生じます。インド社会にも、カースト制を嫌い信者の平等を説くイスラム教に改宗する人々が出てきます。ムガル帝国時代、ヒンドゥーとイスラムの融和を説いたアクバル大帝（在位1556〜1605）のような為政者も出ましたが、対立は続きました。

18世紀になって、イギリスがインドを植民地化するなかで、両者の対立を封じ込めてしまったといえます。イギリスは宗教的にはキリスト教であり、その影響がなかったとはいえませんが、大きな変動はもたらしませんでした。イギリスのインド支配はインド社会に大きな犠牲をもたらしたいっぽうで、新しい価値基準も与えました。その一つが英語です。

インドには共通語がありません。文化的な分裂があることは、イギリスの「分割して統治せよ」には便利だったかもしれませんが、不便も出てきます。広大な領土を支配するためにはインド人官僚を育てる必要があり、このために英語教育が行なわれ、英語がインドの共通語になっていくのです。付随して、鉄道や道路、運河などのインフラ整備は、物資だけでなく、聖地巡礼などインド人の行動範囲を広げていきました。インド人のナショナリズムは、ヒンドゥー教やイスラム教といった宗教ではなく、イギリス人がもたらした価値基準をベースにした、反イギリス感情に支えられたということができます。宗教はむしろ、その対立からイギリスのインド支配に有利に働いたことになります。

このような状況で、ガンジーが果たした役割の大きさが注目されます。彼はインドの伝統的宗教・思想で育《はぐく》まれてきた「非暴力・不服従」の精神で、インド人をまとめていきました。イギリスの綿製品にはみずから機《はた》を織《お》り、塩への税金にはみずから製塩して抵抗しました。たびたびの投獄にもめげず、非暴力を貫いた彼はまた、宗教上の対立も嫌い、新生インドはヒンドゥー教、イスラム教、そしてそのほかの宗教が共存できる国家を期待しました。そして1947年、インドはパキスタンと分離しての、独立を果たします。しかし独立はヒンドゥー教とイスラム教の宗教的対立を呼び起こし、独立の翌年、ガンジーはヒンドゥー教徒の急進派に暗殺されました。インドの宗教的混乱を象徴する事件といえます。

同化した民族を引き裂いたのは宗教だった

くり返しになりますが、「インド」あるいは「南アジア世界」は複雑です。

１９４７年にイギリスからの独立を達成したとき、パキスタン（当時はバングラデシュも含んでいました）とインドが分離しただけで済んだのは奇跡だったかもしれません。

そして、その分離の原因は民族ではなく宗教でした。13億を超す膨大な人口をもち、多くの宗教を抱える集団が、国家として独立を果たせたのは、イギリスの植民地支配に対する不満は当然としても、ガンジーの掲げた理想に集約されたのかもしれません。どれだけ激しい対立が続く社会でも「非暴力」を貫く意志をもち続けることの大切さを、ガンジーは教えているのではないでしょうか。

東南アジアの民族移動

東南アジアの島嶼《とうしょ》部から、西はインド洋のマダガスカル、東は太平洋のイースター島に至るまでに広がる世界の言語がアウストロネシア諸語で、かなりの均質さをもっているというのは先のコラム（44ページ参照）で紹介しました。しかし、同じ東南アジアでも大陸部はかなり状況が違っています。主要なものでもミャンマー（ビルマ）のチベット＝ビルマ語族、タイやラオスのタイ語族、カンボジアやヴェトナムのモン＝クメール語族と分かれます。さらにマレーシアは、大陸部分にありながら海の道に面していることもあり、アウストロネシア系のマレー語が話されています。

このような多様性は、チベット高原から東南方向へいく筋も流れ出る大河とその間に隆起している山脈が、東西の交渉を難しくしたことから生まれました。ヴェトナムが海岸沿いに細長い国家になっていること、それぞれ複雑なラオスとタイの国境線、タイとミャンマーの国境線、さらにはカンボジアとヴェトナム・ラオス・タイの国境線などを眺めると、なるほどとうなずけます。そのような諸国が並立するなかで、大陸部分の文化的様相にも興味深いものがあります。

今日、中国は一帯一路《いったいいちろ》政策で、陸続きのラオスやミャンマーへの圧力を強めています。しかし歴史的に、中国の影響を強く受けたのはヴェトナムだけです。前漢以来、10世紀まで、ヴェトナムは中国と対立し続けました。そのヴェトナム人は中国の華南地方から南下したとの説がありますが、言語学的には疑問も出されています。

隣国カンボジアのクメール人は、メコン川の中流域から南下してきたとされます。1世紀頃には扶南《ふなん》を建国、海の道の仲介者になりました。ラオスの主要民族のラオ族は12〜13世紀頃、雲南《うんなん》から南下し、ラオスだけでなくタイ北部にも分布しています。国土が高地のため中央集権化が難しく、ミャンマーやタイの攻撃を受け続けました。

タイの国家を構成するタイ人は、一般にタイ語を話し仏教を信じているなどいくつかの定義のようなもので紹介されます。しかし広義のタイ人は、北は中国南部の雲南から広東省《カントン》、南はマレー半島、東はヴェトナム、西はインドのアッサム地方まで広がっています。隣国ミャンマーも多民族国家になりますが、7割を占めるのがビルマ人で、太古にはヒマラヤ山脈の北方に住んでいたという説もあります。

近代国民国家が建設されていますが、民族というのは簡単には割り切れるものではない複雑なものであるという証左が、今の東南アジアでも見られます。

Chapter 5

オリエントエリア
前13〜後2世紀

移動を強制され続けたユダヤ人の歴史

概論

人間はさまざまな形で「移動」しています。その移動が歴史をつくってきたともいえます。ユダヤ人の場合、アブラハムがメソポタミアからカナーン（現在のパレスチナ地方）に向けて遊牧行を始めたことや、カナーンからエジプトへの移動、モーセによる「出エジプト（前13世紀頃）」、新バビロニアによる「バビロン捕囚（前586〜前538）」、さらにローマ帝国による「ディアスポラ（離散《りさん》）」などの移住が続いています。『旧約聖書』「創世記」などの記述に関しては科学的に問題もありますが、ほかの史料との対応で、客観的な歴史を反映しているといえる部分も増えてきます。キリスト教やイスラム教にも大きな影響を与えたユダヤ教を信奉するユダヤ人は、どのような移動の歴史を経験してきたのでしょう。

カナーンの地で花開いたソロモン王の栄華

ユダヤ教、キリスト教、イスラム教に共通する信仰基盤として出てくる人物に、アブラハム（イスラム教ではイブラーヒーム）がいます。神学上の厳密な違いは説明できませんが、単純に書くと、ユダヤ人にとっては「民族の祖」（聖書には「多くの民の父」とあります）、キリスト教では「信仰によって義とせられる人々の父」と昇《しょう》華《か》され、イスラム教では「諸預言者や使徒の一人で純粋な一神教徒」と考え、彼の息子イスマーイールをアラブ人の祖とします。アブラハムは三つの一神教の共通の祖先になっているのです。彼はメソポタミアのウルの出身とされ、神の導きでパレスチナに移りました。

アブラハムの孫にあたるヤコブは、飢饉《ききん》を避けてエジプトに渡りましたが、そこでユダヤ人は富み栄えたため、エジプト王（ファラオ）の怒りを買い、苦役が強制されました。そのようなユダヤ人を率いて「出エジプト」を行なったのがモーセです。エジプトを脱出した後、彼はシナイ山でヤハウェ（神）から「十戒《じっかい》」を授けられました。アブラハム以来のヤハウェとユダヤ人の関係が確定していきます。十戒はユダヤ人の基本的な倫理観の基《もと》になるとともに、それを守ることで民族としてのユダヤ人意識を強めました。このことは、キリスト教にも大きな影響を与える結果になります。

エジプト脱出後、ユダヤ人は40年間も荒野をさまよいます。その後、モーセを引き継いだヨシュアがカナーンの地に入り、エリコをはじめ各地を征服し、それらの土地をユダヤ人の12部族にくじ引きで分配しました。ヨシュアの死後、ユダヤ人たちは、その地の先住民の影響でヤハウェ以外の神々も信仰し始めます。それに伴い社会が混乱するのですが、このときに軍事的指導者（士師《しし》といいます）が出てきます。ただ、彼らもユダヤ人を統一することはできませんでした。

そんなとき、ペリシテ人（Chapter2）がカナーンに侵入してきます。それに対して部族が団結する機運が大きくなり、士師として民を率いていたサウルに続くダヴィデ（在位前1000～前960頃）が初めて（厳密にいうとサウルが最初の王ですが、横暴なふるまいから取り消されました）のイスラエル王となります。紅海からユーフラテス川まで領土を広げ、首都をヘブロンからイェルサレムに移し、古代イスラエル王国は最初の繁栄期を迎えます。

ダヴィデの後、王になったのが息子のソロモン（在位前960頃〜前922頃）です。彼の時代、積極的な経済活動が行なわれ、各地との交易もさかんになり、神殿や王宮が建設されました。しかし、彼の野心的な政策は人々を苦しめ、ソロモンの死後に反乱が起き、国家は南北に分裂しました。北がイスラエル王国、南がユダ王国になります。そのようなとき、メソポタミアで台頭してきたのがアッシリア帝国です。イスラエルとユダは共同して戦ったこともあるのですが、イスラエルは滅ぼされ、ユダはアッシリアの属国になります。

「バビロン捕囚」を通して信仰の確信を得る

前612年にアッシリア帝国が崩壊し、4国（リディア、メディア、エジプト、新バビロニア）対立時代になります。そのなかでセム系（西アジア、アラビア半島に住み、セム語系の言語を使う民族。アラビア人、ユダヤ人など）のカルデア人が建てた新バビロニアがユダ王国を滅ぼしました。このとき、多くのユダヤ人が新バビロニアの都バビロンに強制連行されました。これが世にいう「バビロン捕囚」です。ただ、捕囚と聞くと悲惨な生活を連想しますが、ユダヤ人には比較的自由な境遇が保障され、農業や商業に従事する者も多かったようです。

バビロン捕囚は民族の試練ですが、この間にユダヤ人は新しい信仰のあり方を模索していました。それまでは「神殿」での儀式を中心にして信仰を確認していたのですが、その神殿がなくなり、聖地としていたイェルサレムは混乱の極みに陥ります。それらを冷静に考えながら、この「捕囚」を、神の怒りによって起きたのであり、バビロニアの神々に敗れたわけではないと認識、かえってヤハウェへの思いを強いものにしました。そうして、仮にイェルサレムを離れてもみずからの信仰を維持できるという確信をもつようになります。そのためには、ユダヤ人の伝統に基づく生活を続けることが不可欠と考える人たちの指導によって「定め（掟）」が熱心に収集され、それが「トーラー（律法《りっぽう》）」になっていきます。ここでは簡単には書けませんが、それらが『旧約聖書』としてまとめられていくのです。聖書のなかで「トーラー」といえば、「創世記」「出エジプト記」などの「モーセ五書」を指すことが多くなります。

やがてユダヤ人は世界各地に「ディアスポラ（離散）」しますが、『旧約聖書』や「タルムード（トーラーの注解の集大成）」のおかげで、どこでも信仰を確認することができるようになります。ユダヤ人がイェルサレムの神殿のそばで生活しなくてもよくなった理由はここにあります。異郷でも、そこにシナゴーグ（ユダヤ教の礼拝・集会堂）を建て、イェルサレム方面に向かって祈ります。その意味で、バビロン捕囚時代のユダヤ人の経験は大きな意味をもちました。

前6世紀になると、アケメネス朝ペルシアがオリエント世界を再統一します。このとき、新バビロニアも滅ぼされ、ユダヤ人も捕囚から解放されました。ペルシアが彼らの帰国を認めたのは、属国として忠誠と課税を求めたからです。帰国したユダヤ人の手によって神殿が再建さ

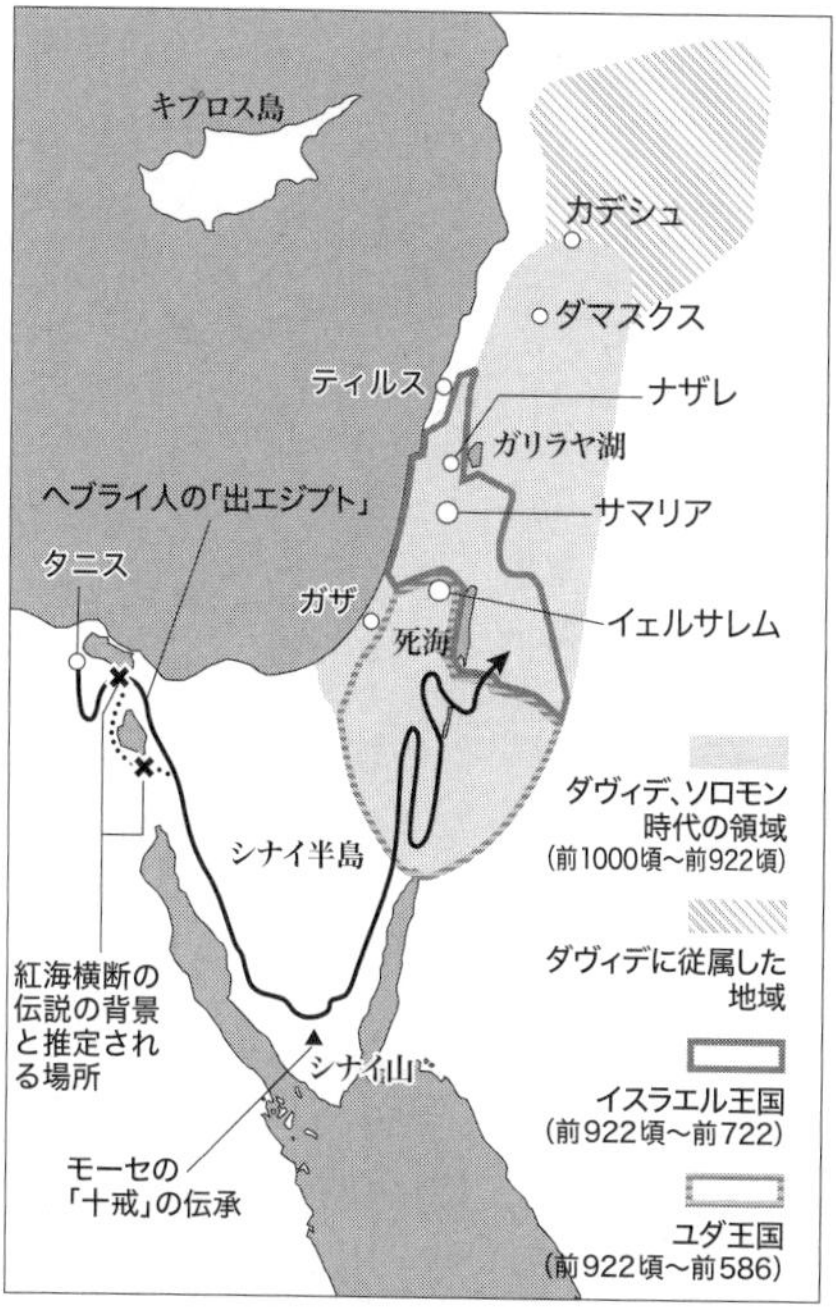

「出エジプト」の推定ルート

れますが、帰国しなかったユダヤ人もいます。バビロンでの暮らしが長くなり、生活の拠点ができていたことにもよるのですが、それ以上に、バビロン捕囚時代に得た信仰上の確信があったからともいえます。

アケメネス朝は前4世紀後半、アレクサンドロス大王に滅ぼされます。ここに成立するヘレニズム世界はユダヤ教にも影響を与え、キリスト教誕生の要因になりました。そして、アレクサンドロスの死後、配下の武将たちが対立し、パレスチナは最初プトレマイオス朝エジプトの、続いてセレウコス朝シリアの支配を受けることになります。一口にヘレニズム文化の影響と書いてしまいますが、実際にはこの地域の言語はギリシア語化されていきます。それまでの共通語であったアラム語に代わっていくわけですが、『旧約聖書』の一部がアラム語で、『新約聖書』がギリシア語で書かれる背景には、そのような文化上の大きな変化があるのです。

ローマとの戦いとディアスポラを経て「移動する民族」となる

セレウコス朝は、初期はユダヤ人の信仰に寛大でしたが、彼らが自身の信仰と文化を守り、ヘレニズム文化に同化しなかったため、じょじょに弾圧を加えるようになります。ギリシア人は神殿の財宝を奪い、さらにはギリシアの神々の崇拝を強制、重税を課すようになるのです。このためユダヤ人の不満が大きくなり、前2世紀の半ば、ハスモン家のユダ＝マカベアが決起し、セレウコス朝からの実質的な独立を成し遂げました。ハスモン朝（前166～前63）の成立です。

ハスモン朝はセレウコス朝の圧迫をはねのけ、領土も、かつてのソロモン王の時代の復活を思わせるほどに拡大しました。しかし宗教面では、神殿と儀式を重んじるサドカイ派と、律法の精神を大切にすることを説くパリサイ派に分裂します。そんなとき、地中海東部にも拡大していたローマの圧力が強化されてきて、ハスモン家の支配は名目だけのものになっていきます。そしてこのハスモン家内部にも対立が起き、アンティパス家が台頭し、そこに現れたのがヘロデ（在位前37～前4）です。ヘロデはローマを巧みに利用してハスモン家に代わり、イスラエルに君臨しました。政治家としては有能といわれるヘロデの政治は、すべてのユダヤ人の支持を集めたわけではないのですが、神殿の改修など評価される一面ももっています。そのようなイスラエルで、ヘロデの晩年に生まれたのがイエス＝キリストです。彼はトーラーを重視するユダヤ教を批判したため、ユダヤ人から憎まれるようになります。

いっぽうで、ユダヤ人のローマに対する反感も大きくなります。ユダヤ人は、イエスに「ユダヤ人の救世主」になってくれることを願ったのですが、イエスはそれには応えず、ユダヤ人を失望させました。そのような状況で、ユダヤ人はローマの手でイエスを処刑しようと謀《はか》り、彼をローマへの反逆をたくらんでいるとしてユダヤ総督に引き渡しました。ときのユダヤ総督ピラトは苦慮しましたが、結局はイエスの処刑を決断します。処刑後、イエスが復活したという信仰が、キリスト教を生み出します。

その後もユダヤ人のローマへの抵抗は続きました。ローマのユダヤ人への対応も過酷なものがあり、紀元後66年、ときのユダヤ総督が神殿から財貨をもち去ったことからユダヤ人の反乱が始まりました。最初はローマを圧倒したユダヤ人ですが、ローマ軍の反撃の前に鎮圧され、神殿も破壊されました。このとき、ゴラン高原の要塞ガムラや、マサダの砦《とりで》での1000人余りの集団自決など悲劇が続き、のちに語り伝えられます。

ユダヤ人の最後の抵抗は132~135年になります。このときは、ユダヤ人内のユダヤ教徒とキリスト教徒の対立がローマ側に有利に働き、ユダヤ人の反撃は終わり、彼らはイェルサレムへの立ち入りを禁止され、名前もアエリア・カピトリナと改変されました。ユダヤ人のディアスポラ（離散）はここに始まるのです。ローマ時代の人々は比較的自由に各地に移住・移動ができました。イェルサレムを追われたユダヤ人は、エジプトをはじめとして地中海の周辺各地に住み着いていきます。

ローマ教会の圧迫による苦難

その後のユダヤ人の歴史を大まかに説明します。ローマを追われたのち、一部のユダヤ人は300年頃にはイベリア半島に住み着いていたようです。ローマも、それに続く西ゴート王国もユダヤ人には寛大なようでした。しかし6〜7世紀になりローマ教会が反ユダヤ的傾向を強化し始め、キリスト教徒との結婚は禁止され、公職にも就けなくなります。さらに厳しい状況が生まれようとしていたとき、アラブ＝イスラム勢力がイベリア半島に侵入、ユダヤ人の危機は回避されました。800年頃のユダヤ人人口は30万人ほどとされ、商工業のほか農業にも従事していました。さらに彼らのなかには政治家として、学者として、宗教者として活躍した人々がたくさんいます。

イベリア半島でのキリスト教徒によるレコンキスタ（イベリア半島のイスラム教徒からの解放運動）が始まると、ユダヤ教徒の立場はじょじょに悪くなっていきました。14世紀以降になると改宗が強制されるようになり、それに伴う暴力や虐殺事件も起こるようになります。1391年には、5万人のユダヤ人が虐殺され、数十万人が強制的に改宗させられたといいます。さらに、改宗したユダヤ人も差別的に扱われ、耐えかねたユダヤ人のなかには逃亡を図る者も出てきました。唯一、信仰の保障されたグラナダが1492年に陥落すると、彼らは行き場をなくします。そのようなユダヤ人を受け入れてくれたのは、オスマン帝国やポーランド（当時はリトアニアと連合していました。Chapter10参照）になります。

16世紀になるとキリスト教の宗教改革が進み、オランダのような新教国も成立し、ユダヤ人のなかにはオランダに移る者が出てきます。オランダ政府はキリスト教徒との結婚は禁止するものの彼らの移住を認めました。オランダにはスペインなど南欧諸国から移動してきたセファルディム（スペイン・ポルトガル系ユダヤ人）のほか、ポーランドやドイツなど東ヨーロッパからアシュケナジム（ドイツ・東ヨーロッパ系ユダヤ人）もやってきます。それらのユダヤ人の一人が『エチカ（倫理学）』で知られるスピノザになります。

商業での成功と紙一重の虐殺

ドイツ・フランス地方へのユダヤ人のディアスポラは1世紀、イェルサレムの神殿が破壊される頃から始まります。当時のローマ帝国でユダヤ人は、ゲルマン人との境界地帯に築かれた要塞へ納める物資などを扱いながら集落をつくりました。ローマ帝国が滅亡しフランク王国が成立する頃、ヨーロッパの20余りの都市にユダヤ人の社会があり、彼らは商工業に従事していたとされます。

このようなユダヤ人にローマ教会は改宗を迫るなどの厳しい対応をしていましたが、世俗の為政者はユダヤ人に外交や財政の官職を与えることで、ユダヤ人同士のネットワークを利用した「遠隔地交易」の担い手として活動させました。国家にとって、有益な存在と見なされていたのです。

イギリスへのユダヤ人移住の始まりは1066年のノルマン＝コンクェストが契機になりました。ウィリアム征服王が多くのユダヤ人を連れていったのです。彼らはイギリスでも便利な存在として使われます。キリスト教徒に禁止されていた金貸し業をユダヤ人が担ってくれたわけで、その恩恵は教会も例外ではありませんでした。イギリスの場合、ユダヤ人を保護してくれた王権は、封建諸勢力が伸長してきたため揺らぎます。その反動で、ユダヤ人差別や虐殺につながることが見られるようになります。

そんなユダヤ人にとって、十字軍のような宗教的情熱の盛り上がりや、ペストの流行などの社会不安は危機の時代になりました。高利貸しも民衆の怨嗟《えんさ》の対象となり、それらがしばしば虐殺の原因になったりしました。このためドイツやフランスなどのユダヤ人が、ポーランドに移住する場合も見られるようになります。富国策を行なっていたポーランドにとってユダヤ人はお金と情報網を持つ便利な存在でした。ポーランドはユダヤ人にとっては天国ともいえるところだったのですが、17世紀半ばのポーランド国内の混乱で、10万ともいわれるユダヤ人が犠牲になるような事件も起こりました。

栄光と苦難の旅は、人類史の再現にも見える

ユダヤ人は3000年以上の歴史をもち、イスラエルという土地を神から約束さ

れながらその地に国家をもてたのは、古代には通算して700年余り、現代では70年余りだけです。国家を維持している間も、周辺国家・民族との戦いの連続でした。現代も同様です。それ以外の時代、多くのユダヤ人は世界各地を流浪していました。彼ら自身の才覚で繁栄を実現するときもあるのですが、迫害されて居場所を追われることをくり返してきました。農耕を始める以前の人類は、食料を求めて各地を動き回りましたが、ユダヤ人の歴史はそれを再現していると見ることもできるのではないでしょうか。

Chapter 6

コーカサスエリア
前2〜後6世紀頃

もう一つの離散の民族 アルメニア人

概論

コーカサス（ロシア語ではカフカス、「白く輝く」の意味）といわれる地域があります。この地名は比較的よく知られているわりに、具体的にそこを指摘してみろといわれたら、どうでしょうか。黒海とカスピ海の間といわれても、まだピンとこないのではないかと思われます。その二つの大きな「海」の間にあるのがカフカス山脈で、この章では、その南部地域を扱います。面倒な名前を先に書いておきますが、ここには、かつてロシア（旧ソ連）の領土になっていたジョージア、アゼルバイジャン、アルメニアという三つの国家があり、ここでは南西に位置するアルメニアとその住民になるアルメニア人が主題になります。大同小異ですが、いずれも大国の圧迫を受け、苦難の歴史をそれぞれがもっています。

東西南北の「交易の要衝」として翻弄され続ける

冒頭に書いたようにアルメニアはカフカス山脈の南方にある国家で、古くから東西南北の交易を結ぶ要衝として、国境も複雑なことになっています。アゼルバイジャンおよびジョージアとの国境はさておき、南部ではトルコおよびイランと国境を接しています。とくにトルコとアルメニアの国境は、今なお画定されていません。

そして、この3国の国境地帯からそれぞれ遠くないところに、有名なアララット山があります。標高が5100メートル余りで、『旧約聖書』によれば、ノアの方舟が着いたところとされています。神の試練を生き延びたノアの一族は、アルメニア近辺から新しい世界に散らばっていったことになります。

このアララット山の近辺は、メソポタミア文明を育んだユーフラテス川の源流にもなっています。世界史の勉強を始めるとき、四大文明の一つとしてメソポタミアの名前は出てきても、その源流を含めたメソポタミア北部のことはほとんど出てきません。前9～前8世紀頃になるとアッシリア帝国やそれに続く4国対立時代など、メソポタミアの歴史が少し複雑になってきて、コーカサス地方についての記述はほ

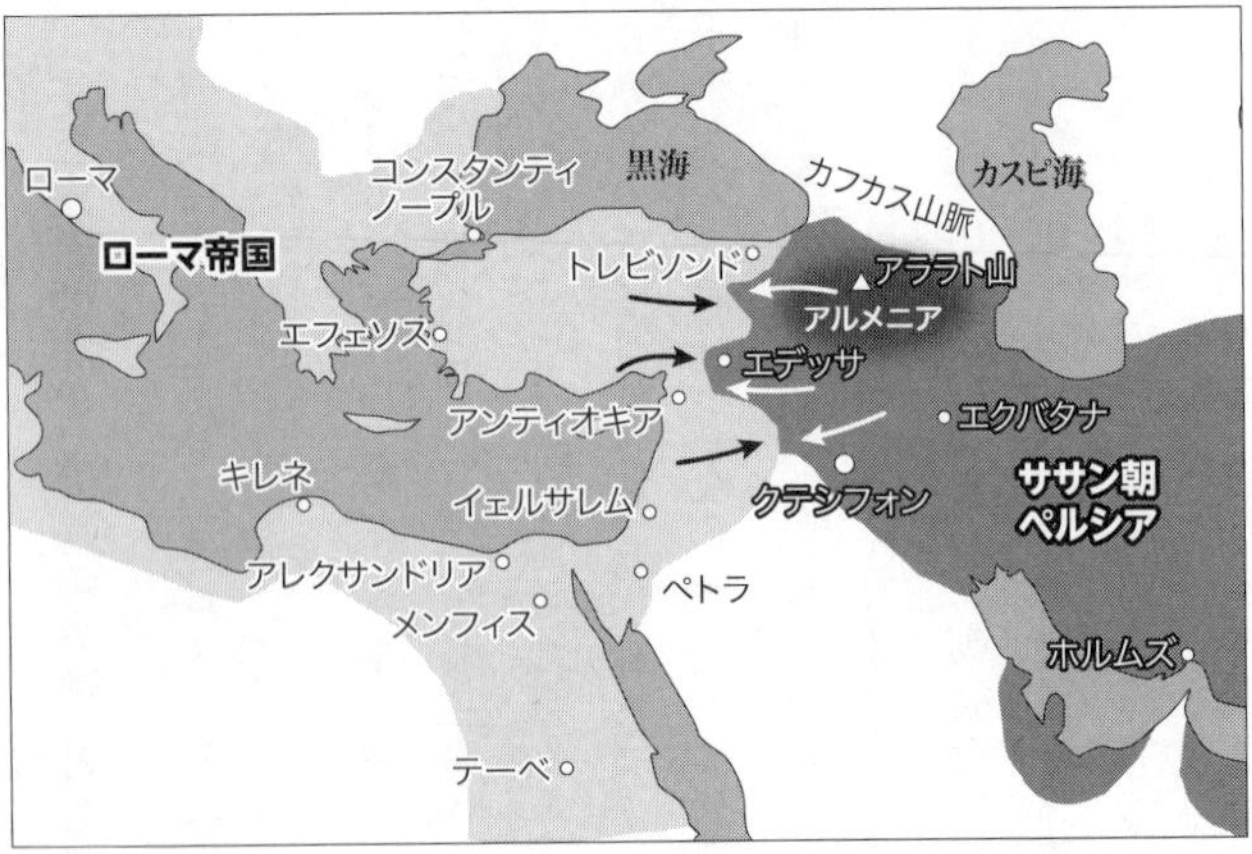

4世紀頃のアルメニアの周辺状況。強国に挟まれ、領土の分割も経験する

ぼなくなります。南方のメソポタミアと東のイラン（ペルシア）、西のアナトリア（小アジア）の各地で興亡する諸国家の間にあって、いろいろな試練が強制され、それは現在に至るまで続いているのです。

アッシリアの時代、アルメニアの辺りにはウラルトゥという国家がありました。この国は前13世紀頃から現れるのですが、ウラルトゥ人やアルメニア人も含めた群小勢力の集合体であったようです。しかし、有能な王のもとに強大化し、領土を広げ、アッシリアを圧迫しました。やがてオリエント世界で強勢を誇るアッシリアですが、この時代はウラルトゥにその活動を抑えられていたことになります。前8世紀、アッシリアにサルゴン2世が出てウラルトゥを攻撃し、ウラルトゥはじょじょに弱体化していきました。このサルゴン2世は、ユダヤ人のイスラエル王国を滅ぼしたことでも知られます。

ウラルトゥ王国が滅亡したのち、アルメニア人の居住地域はメディア（4国対立時代の国家の一つ）、アケメネス朝ペルシア、アレクサンドロス大王、セレウコス朝シリアと次々に支配者が代わりました。セレウコス朝がローマとの戦いに敗れて弱体化するのに乗じて、前2世紀、古代アルメニア王国の独立が実現します。一時の繁栄を経験したものの、最初の王朝も前1世紀になるとローマの拡大で弱体化し、領土も縮小させられていきました。紀元後1世紀になるとパルティアとローマとの板挟み状態になり、さらに、3世紀になるとパルティアに代わったササン朝ペルシアの圧迫を受けます。

世界で最初にキリスト教を国教とするも、キリスト教に苦しむ

4世紀のアルメニア王国は、ササン朝ペルシア帝国とローマ帝国の間にあって両者から攻撃されました。そのようななか、国王はキリスト教を国教にする決断を下

しました。ペルシア文化の影響は以前からあり、ゾロアスター教が広まっていたようです。それに対して、アルメニア人のアイデンティティーを強化するため、キリスト教を選んだことになります。これが301年のことで、アルメニアは世界で一番早くキリスト教を国教化した国家になりました。ローマ帝国でのキリスト教公認はコンスタンティヌス大帝による313年、さらに国教化は392年にテオドシウス帝が行ないました。

宗教の国教化というのは、よく考えるとおかしな言葉です。古代世界での宗教の役割は、鎮護《ちんご》国家的性格を否定できません。日本で、物部守屋《もののべのもりや》と蘇我馬子《そがのうまこ》が新しい宗教を巡って対立したのはよく知られています。宗教といえるかどうかはともかく、中国でも儒教が国家宗教的地位を獲得しました。古代において集団・共同体を維持するためには、神がかった何者かが不可欠です。周辺の強大な国家の圧力を受け続けたアルメニア人にとってもそれは例外ではなく、その役割をキリスト教に求めたのでしょう。

これ以降、アルメニア人はイェルサレムに巡礼をさかんに行ない、それがアルメニア人の対外発展のきっかけになったと考えられます。たとえば、イェルサレムへの道筋には、巡礼者の便宜を図るための宿泊施設などが準備されていきます。今日イェルサレムの旧市街は四つに区分されていて、その一つがアルメニア人地区になっています。１７００年も前からの、アルメニア人のキリスト教信仰の深さを示す歴史遺産というべきでしょう。

ところが、アルメニアのキリスト教は正統教会の立場から見ると異端になりました。というのは、当時の教会ではキリストの神性と人性を巡る対立があり、正統教会は両性説（神性・人性の両方をもつとする立場）をとるカルケドン信条を採用しました。いっぽう、アルメニア教会は単性説（神性のみを考える立場で、エジプトのコプト教会などと共に、非カルケドン派とまとめられています）を採用しました。同じキリスト教でありながら、この違いが、将来、アルメニア人を離散させる一因にもなっていきます。

大国に移住を強制されるも、己の才覚で活躍する

アルメニアのあるコーカサス地方は地理的に見ると、カスピ海と黒海に挟まれ、東西（東はインドと中国、西はローマ）、南北（北はロシアから北欧、南はペルシアや

メソポタミア、エジプト）の交易路の中心になります。このため、民族的試練は続くものの、アルメニア人は商才に長《た》けた民族になりました。先に書きましたように、交通の要衝を狙って周辺の大国が侵入してきます。それに対抗するアルメニア人は武勇の民でもありました。

しかし、集落が破壊され、強制移住も強いられるような世界で、武勇よりも商業民としての生き方を選んだのは賢明だったともいえます。アルメニア人が居住している地域を見れば、本国の面積に比べその居住地の広大さに驚かされます。

民族の移住というのは小規模なものはいつの時代にも、ふつうに行なわれていま す。商人たちが外地におもむき、そこでずっと生活するようになることなどはその例です。アルメニアの歴史でかなり大きな強制移住は何回も見られ、そのたびにアルメニア人は世界各地に散らばっていくことになります。そのアルメニア人の離散は、長期間にわたって続きます。周辺に成立した巨大な勢力によって、故郷からの移住が強制され続けたのです。

アルメニア人にとっての最初の大きな試練は、ササン朝ペルシアによる圧迫でした。4世紀の末、アルメニア人の4万世帯がペルシアに連行されました。戦争相手

19世紀頃のヨーロッパ周辺のアルメニア人居住地域。ヨーロッパ以外でも、アルメニア人の居住地域は多数存在した

のササン朝による報復だったのでしょう。くり返しになりますが「バビロン捕囚」のような事件は、歴史上、たびたび起こされているのです。彼らは、商工業などに従事させられた者もいると思われますが、農業を強制された人々も多かったことでしょう。

ササン朝が滅んだ後、今度は東ローマ帝国の圧迫を受けます。このときはキリスト教の教義上の問題も絡んできました。非カルケドン派に属するアルメニア教会は、ギリシア正教会からの迫害を経験します。6世紀以降、東ローマ帝国の追放令で、アルメニア人はキプロス島、バルカン半島、トラキア（現在のブルガリア、ギリシア、トルコにかかる地域）、マケドニア（バルカン半島の中央部）に追われていきました。さらに、アラブ＝イスラム勢力が拡大してくると、故国を離れるアルメニア人も出てきます。しかし、なかにはみずからの才覚で、それぞれの地で政治的に力をもった人物もいました。

その一つの例です。各地に移住させられていたアルメニア人が、一時、国家を復活させたことがあります。11世紀末（12世紀末に王号承認）、キリキア（アナトリア半島南部、キプロス島の対岸辺り）地方に成立したキリキア＝アルメニアです。この地域はギリシア人やトルコ人など民族は多彩だったものの、全体としての人口は少なく、そこに集まったアルメニア人が、東ローマ帝国の権威のもとで着実に力を付けていきました。

11世紀末から始まった十字軍は、宗派こそ違いますが同じキリスト教徒です。アルメニアはこれに協力し、東ローマ帝国とも戦いながら12世紀末にはキリキア＝アルメニア王国を建設しました。

13世紀には西進してきたモンゴルに従属し、ユーラシア大陸の交易網《もう》の一端を担い安定期も迎えます。しかし、同世紀半ばにエジプトで成立したマムルーク朝のために国家は衰亡し、多くのアルメニア人がエジプトに連行されたり、虐殺されたりしました。この間、アルメニア人はグルジア、クリミア、キーウ、ポーランド、ブルガリア、ルーマニアなどに移住しましたが、さらに、このキリキア＝アルメニア王国の滅亡とともに、十字軍時代のよしみで関係のあったイタリアやフランスなどにも亡命・移住しました。こうして、アルメニア人はヨーロッパ各地に散らばっていったのです。

さらに試練は続きます。16世紀になるとイランにはサファヴィー朝が成立、いっぽうで、オスマン帝国も全盛期を迎えます。16世紀前半はオスマン帝国のスレイマン大帝、後半はサファヴィー朝のアッバース1世と強大な権力を誇る人物が両国で出てきます。アッバース1世の野心から、オスマン帝国の陸上の経済ルートを奪う目的も加わり、アルメニア人には虐殺や強制移住など非常に残酷なことが続きました。

オスマン帝国とロシア帝国の圧力

くり返しますが、コーカサス地方は交易路の中心であり、周辺の大国にとっては魅力的な場所です。18〜19世紀になるとペルシア帝国が少し後退して、ロシア帝国の拡大が目立つようになります。それでも、アルメニア人にとっての試練はまったく変わらずに続いたのです。すでに16世紀、カザン＝ハン国やアストラハン＝ハン国を奪っていたロシア帝国です（Chapter13参照）。エカチェリーナ2世時代の18世紀末、ふたたびロシアの南下政策が始められました。彼女はオスマン帝国と戦い、カフカス山脈の北部の土地とクリミア半島を奪いました。黒海の自由航行権を手に入れたのもこのときです。

19世紀になって、ロシアはカフカス山脈の南にも進出します。ナポレオン戦争に続き、ギリシア独立戦争にも介入し、オスマン帝国と戦ったロシアはアルメニア人居住地区を次々に占領していきました。クリミア戦争（１８５３〜１８５６）には敗れたものの、１８７７年に始まったロシア＝トルコ戦争の結果、サン＝ステファノ条約で一時はさらに南方にまで領土を拡大しました（列強の介入により、ベルリン条約が結ばれ、修正されています）。カフカス山脈の南北が、ロシアの領有するところになったのです。この二つの条約が締結される過程で、オスマン帝国内のアルメニア人の安全を保障するという条項はないがしろにされていきました。このため、アルメニア人のナショナリズムが沸《わ》き上がってきます。また、オスマン帝国側でも、キリスト教国側が主張する「聖地イェルサレム」の管理権での対立から、イスラム教徒とキリスト教徒との対立が各地で見られるようになります。

19世紀後半から20世紀にかけては、オスマン帝国自身が改革の必要性に迫られ、政治的に不安定な時期でもありました。そのようなオスマン帝国内で、豊かなアルメニア人に対するトルコ人の不満も大きくなっており、19世紀末、スルタン（イスラム王朝の君主）は、アルメニア人問題の武力による解決を図りました。このとき、アルメニア各地で殺されたアルメニア人は30万ともいわれます。1908年には、「統一と進歩委員会（青年トルコ）」がスルタン政府に対して憲法復活（憲法は1876年に施行され、2年後停止）を要求して決起したことから始まり、混乱のなかでスルタン支持派によるアルメニア人虐殺が行なわれました。

第一次世界大戦をトルコ民族の栄光の復活の機会と位置づけたトルコ政府は、その手段としてアルメニア人の根絶と財産没収を決定。1915年から23年にかけて、150万人と推定されるアルメニア人が虐殺され、アルメニア人が世界に離散していかざるをえない非常に過酷な状況が続きました。

第一次世界大戦後には、グルジア、アゼルバイジャンと共にアルメニアも独立を果たしました。しかし、トルコとの対立による混乱の名目でソ連の介入を招き、結局はソ連の構成国の一つに編入されました（1936年）。アルメニアの完全な民族国家の樹立は、ソ連崩壊後の1991年になります。

長い歴史のなかで、世界各地に離散したアルメニア人は圧倒的に多く、現在、世界のアルメニア人人口760万人余りのうち、アルメニア国内に住むアルメニア人は300万人余りとされています。ユダヤ人の離散と比較されることも多いのですが、ユダヤ人はユダヤ教を信仰しているのに対し、アルメニア人はキリスト教を信仰しているので、欧米社会に受け入れられやすいという事情も指摘されています。

ナゴルノ＝カラバフ、隣国との間で続く領土問題

アルメニアの隣国アゼルバイジャン内にナゴルノ＝カラバフという地域があります。この地域はアルメニア人が多く居住しているのですが、ロシア帝国の崩壊による両国の独立と続くソ連邦成立の過程で、帰属を巡る熾烈な対立が生じました。最終的にはアゼルバイジャン内で自治州となることで調停されたのですが、アルメニ

アは併合要求を続けます。ゴルバチョフのペレストロイカ（ゴルバチョフ政権が進めた改革の総称。情報公開、政治民主化、経済改革など広範におよんだ）によってアルメニア人の要求はさらに大きくなり、1991年のソ連崩壊後、アルメニアとアゼルバイジャンの間では戦争まで起こっています。現在、実質的にはアルメニア支配下にあり、ナゴルノ＝カラバフ共和国として独立を宣言しています。ただ、独立を承認しているのは数カ国にすぎず、アルメニア政府にとっては不本意な状況が続いています。

Chapter 7

欧州エリア
4〜8世紀頃

ゲルマン人の大移動と原ヨーロッパの形成

概論

「民族大移動」といえば、ゲルマン人を連想する人が多いことでしょう。バルト海の沿岸にいた彼らは、4世紀末から7世紀頃までにヨーロッパ各地に拡大しました。このゲルマン人とは数十の部族の総称で、有名なところではフランスの名の由来になるフランク族や、イギリスに渡ったアングル族やサクソン族、ドイツで重要な地位を占めたサクソン族などがいます。彼らの移動は、紀元前から、ローマ帝国との関わりのなかでうかがい知ることができます。そもそも「ゲルマン」という名称は、カエサルの残した『ガリア戦記』で、ライン川の東方を「ゲルマニア」と記したことに由来します。アメリカ史を学ぶときWASP《ワスプ》という言葉が出てきますが、このASはアングロ＝サクソンのことで、ゲルマン人は大西洋も越えたのです。

前2世紀にはあったローマ帝国との関係

英語でドイツのことをGermanyといいますが、ドイツ語ではDeutschlandといいます。両方「ドイツ」のことですが、語源は違っています。Deutschlandのほうはラテン語の形容詞「theodiscus」から発展してきたもので、8〜9世紀頃から使われるようになり、「ラテン」に対する「民衆（の）」という語意です。ラテン語の理解できない民衆という意味で使われたので、「ドイツ」という意味は本来ありませんでした。ドイツの意味になるのは11世紀頃からとされています。

それに対してGermanyですが、これはカエサルの『ガリア戦記』やタキトゥスの『ゲルマニア』に出てきます。後者の場合、「ゲルマン人の土地」そのものです。ちなみに前者はガリア＝フランスのケルト人を攻めたときの記録なのですが、その隣、ライン川の東岸地方にいたゲルマン人のことも紹介されています。ローマ人にとっては「ドイツ人」というような意識はなく、「蛮族」の「ゲルマン人」が問題だったのです。ということで、言葉としては「ゲルマン人」のほうが早く出てきています。

そのゲルマン人はいくつかの部族に分類されるのですが、アレマン人やバイエルン人、ザクセン人などからなる「Deutsch＝ドイツ」の自覚は、11世紀頃から始まると考えていいのではないでしょうか。

ローマ人とゲルマン人の関係は古く、前2世紀末頃、キンブリ族やテウトニ族がローマと対立した記録がありますし、またローマの傭兵《ようへい》やコロヌス（小作人）になったりもしていました。両者の境界は基本的にはライン川とドナウ川でした。紀元後9年、ローマ帝国初代皇帝アウグストゥスの時代に、ライン川を越えてゲルマニアに入ったローマ軍がトイトブルクの戦いで惨敗し、両河川が境界になるのですが、ローマはライン中流域とドナウ上流を結ぶ500キロを超える「壁（リーメス）」を建設しました。対立が続くなか、2世紀になると五賢帝の2番目トラヤヌス帝はドナウ川を越えて、ダキア地方をローマに編入しています。

くり返しになりますが、ゲルマン人の動きは、ローマとの対立・融和のなかで始まっていました。紀元後になりますと、ローマ社会の変化に対応して、コロヌスや傭兵、職人などとしてローマ領内で活動する者も多かったのです。帝国を二つに分割せざるをえなかったテオドシウス（在位379～95）に仕えたスティリコは、ヴァンダル族に属するゲルマン人ですが優秀な軍人でもありました。しかし、ローマ人のなかにはゲルマン人を蔑視する者も多く、スティリコも反逆罪で処刑されてしまいました。この不寛容さが、ローマを滅亡に導いた一因といえるかもしれません。

ローマ帝国により辺境に追いやられたケルト人

ゲルマン人に先立って、ヨーロッパで活動していたのはケルト人です。カエサルの『ガリア戦記』は、彼のケルト人との戦いの記録です。ローマとの戦いが本格化するのは前1世紀ですが、ケルト人はこれ以前にヨーロッパ中央部を中心にハルシュタット文化（前1200～前500年頃の鉄器文化）やラテーヌ文化（前500～紀元前後頃の後期鉄器文化）を残しています。「原ヨーロッパ人」ともいえるケルト人はローマの拡大によって辺境に追いやられ、あるいはローマ人と同化していきます。

ケルト人の伝統を残しているのはフランスのブルターニュ、イギリスのウェールズやスコットランド、さらにアイルランドになりますが、やがて彼らはキリスト教も受け入れ、ローマに代わったゲルマン人とも交渉をもちながら、今なお独自の文化を維持しているのです。

フン族の西進によりゴート族が動く

ゲルマン人が移動せざるをえなくなったのは、人口増加による農地の不足などが大きな原因であったと考えられます。もちろん、他民族の圧迫や病気などのさまざまな原因も出てきます。

4世紀から始まるいわゆる「大移動」に先立って、彼らは小規模な移動やローマとの対立をくり返していました。2世紀の中頃、ヴィスワ川（ポーランドの河川）周辺にいたゴート族とブルグンド族が、それぞれ黒海の北岸、ライン川の支流のマイン川流域に移動しました。この動きがきっかけになって、ゲルマンの小部族も動きますが、そのなかのマルコマンニ族といくつかの部族はローマと戦うことになりました。このときのローマ皇帝が五賢帝の最後のマルクス＝アウレリウス（在位161～180）で、彼は別のゲルマンの部族の協力なども得て、この動きを封じ込め、国境線を防衛しました。そして、協力したゲルマン人のローマ領内への移住を認めることになります。

3世紀になるとアレマン族やザクセン族、フランク族、スエヴィ族などが動きます。アレマン族はカラカラ帝に敗れますが、その後も侵入をくり返し、ライン川、ドナウ川上流域のリーメス（壁）を越えて、スイスやライン川上流域まで居住領域を拡大しました。3世紀の後半にはザクセン族も動き、彼らはライン川下流域に移住します。フランク族が動き始めたのもこの時代で、彼らはガリアのみならずイベリア半島にまで侵入し、ローマとの激戦が続きました。このため、ローマとの国境は、ケルンとブーローニュ（ドーバー海峡に面した都市）に移ります。

スエヴィ族は、もともとはバルト海南西海岸地帯にいたのですが、この動きのなかで一部は南ドイツに移り、その名をシュワーベン地方（南西ドイツの地方名）に残します。また、その一部にはイベリア半島に移った者もいます。さらにこのスエヴィ族の一部は、マルコマンニ族と一体化してバイエルン族になったと考えられています。

このような動きをしているとき、375年に西進してきたフン族（匈奴《きょうど》の末裔《まつえい》といわれます。のちにハンガリー辺りに建国）がゴート族を圧迫するという事件が起こります。当時のゴート族は東西に割れていたのですが、東ゴートに圧迫された西ゴートがドナウ川を渡り、本格的にローマ領内に移住します。これを機に本格的なゲルマン人の大移動が始まりました。テオドシウスの死によりローマ帝国が東西に分裂するのは東ゴートが動いた20年後の395年、西ローマ帝国皇帝ロムルス＝アウグストゥルスがゲルマンの傭兵隊長オドアケルによって廃位されるのは476年になります。

東部ゲルマン人国家は長期存続しなかった

ゲルマン人の移動は、東ゴート、西ゴート、ブルグンド、ヴァンダル、ランゴバルドといった東ゲルマンと、フランク、アレマン、バイエルン、ザクセン（サクソン）、アングルといった西ゲルマンに分けてみると理解しやすくなります。「大移動」という言葉にふさわしい動きをするのは東ゲルマンのほうで、短命とばかりはいえませんが、長期安定政権がつくれなかった場合が多くなります。

たとえばヴァンダル族です。ポーランドのシュレジエン地方が故郷ともされる彼らは、5世紀初め、ガイセリック王に率いられて移動を開始しました。凍結したライン川を渡りガリアを横断、イベリア半島を南下し、北アフリカを東に進み、カルタゴに建国するのですが、その過程でアラン族、スエヴィ族、西ゴート族を組み入

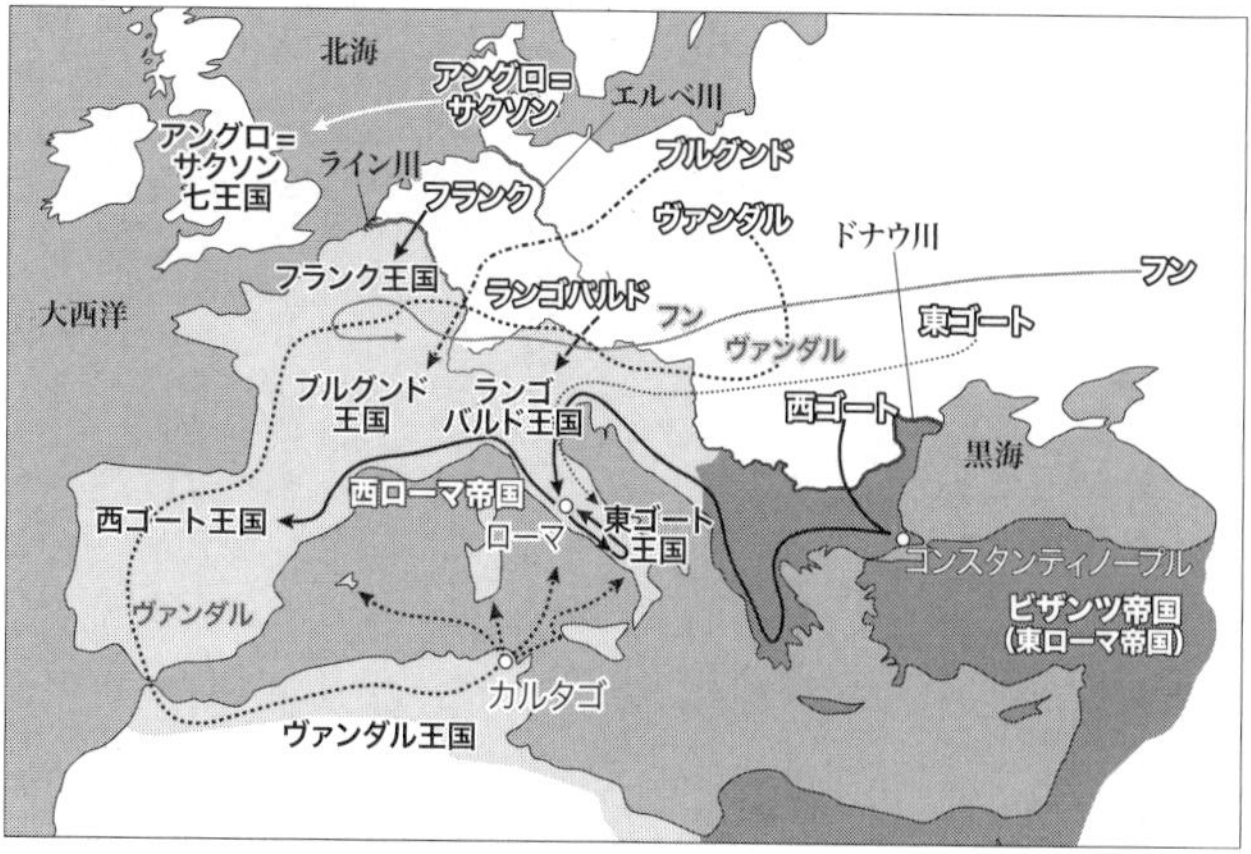

各民族の大移動

れ、諸部族の混成集団となっていたことに加え、北アフリカの先住民に比べて圧倒的に人口が少なかったこともあり、１世紀ほどで、東ローマ帝国のユスティニアヌス（在位５２７〜５６５）によって滅亡させられました。このヴァンダル王国とほぼ同じ時代、スイスから南フランスにかけてブルグンド族による王国ができます。この国の北部の西方は、中世のブルゴーニュ公国の元になっていきます。

　大移動のきっかけをつくった東ゴート族は、フン族の支配を受けたりローマの保護を受けたりと混乱しました。西ローマ滅亡後の４９３年、テオドリックがイタリア半島を中心に東ゴート王国を建設しましたが、東ローマ帝国のユスティニアヌスの攻撃でヴァンダルに続いて6世紀の半ばに滅亡しました。存続期間が短いのですが、テオドリックが都にしたラヴェンナには、サン＝ヴィターレ寺院（ロマネスクの傑作）などが残されています。

この東ゴートに代わって、イタリア半島に建国したのがランゴバルドです。現在のハンガリーがある地方を中心に大きくなり、南方のゲピデ王国（東ゴートと同類の国家）との対立が続きましたが、最後はアヴァール人と結んだランゴバルドがゲピデ族を打ち破りました。そののちランゴバルドはイタリア半島を制圧しますが、東ローマ帝国との対立も続いたため分裂。北部は8世紀後半にフランク王国に敗れ、南部にはベネヴェント公国が残ります。

東ゴート族の対《つい》になる西ゴート族ですが、彼らはドナウ川の下流域から、バルカン半島、イタリア半島、南フランスを経由しながらイベリア半島に達し、先にそこにいたヴァンダル族をアフリカに追いやりました。半島の北部にいたスエヴィ族を破って南フランスからイベリア半島を支配しましたが8世紀初め、北アフリカを席《せっ》巻《けん》してきたアラブ・イスラム勢力に敗れます。イスラム勢力はピレネー山脈を越えてフランスに入りますが、732年、フランク王国のカール＝マルテルにトゥール・

ポワティエ間の戦いで敗れました（後述）。

このように、東部ゲルマン人の国家は長期政権を維持できませんでした。原住地から遠く離れてしまったこと、支配者としての人口が少なかったことや、国家機構を十分に整備できなかったことに原因があります。

西ゲルマン族の「拡大」がフランク王国を生む

イギリスに渡ったアングル族、サクソン族は例外として、西ゲルマン族は移動したというより、じょじょに「拡大」するという形で領土を広げていきました。その代表がフランク族になります。このフランクという名前は、3世紀の半ば頃に出てきます。ローマの記録で「勇敢な人々」（「荒々しい」などの意味も）を表し、単一の部族ではなく、ライン川の右岸（東部）地帯に住むいくつかの小部族の寄せ集まりでした。

ゲルマン人の大移動の動きに乗ってフランク族もライン左岸に移り、群小の王国を建てます。そのなかのメロヴィング家のクローヴィス（在位481〜511）がこれらを統一しました。彼の時代から、ゲルマンの他部族や、なお残っていたローマ人の統治領（シアグリウスの国といいました）を併合しながら、ガリアのみならずドイツにも支配領域を広げていきました。この間に彼は正統派のアタナシウス派キリスト教に改宗し、異端とされたアリウス派を採用していたゲルマン諸族との戦争を、ローマ教会の支援を受けることで正当化しています。

ゲルマン社会では「分割相続」が一般であったため、王の死後、子どもたちがその領地を分割して相続し、有力者がふたたびそれを統一するというようなことをくり返していました。そんななか、6世紀の半ば、クロタール1世の死後にフランク王国はアウストラシア（東部）、ネウストリア（西部）、ブルグンド（南西部）の三つに分割されました。この三者の対立は王権を弱めていくことになるのですが、それは各地の有力者（のちに中世の諸侯たちになります）の台頭を促しました。

7世紀後半、アウストラシアの宮宰《きゅうさい》（総理大臣のような権力者）のカロリング家のピピン2世がネウストリアに勝利し、再統一を実現しました。その頃から、弱体化したメロヴィング家に代わってカロリング家が実質的な支配者になります。8世紀の初めにはピピン2世の子どもカール＝マルテルが、南方から侵入してきたイスラム勢力をトゥール・ポワティエ間の戦いで破りました。そして、彼の息子ピピン

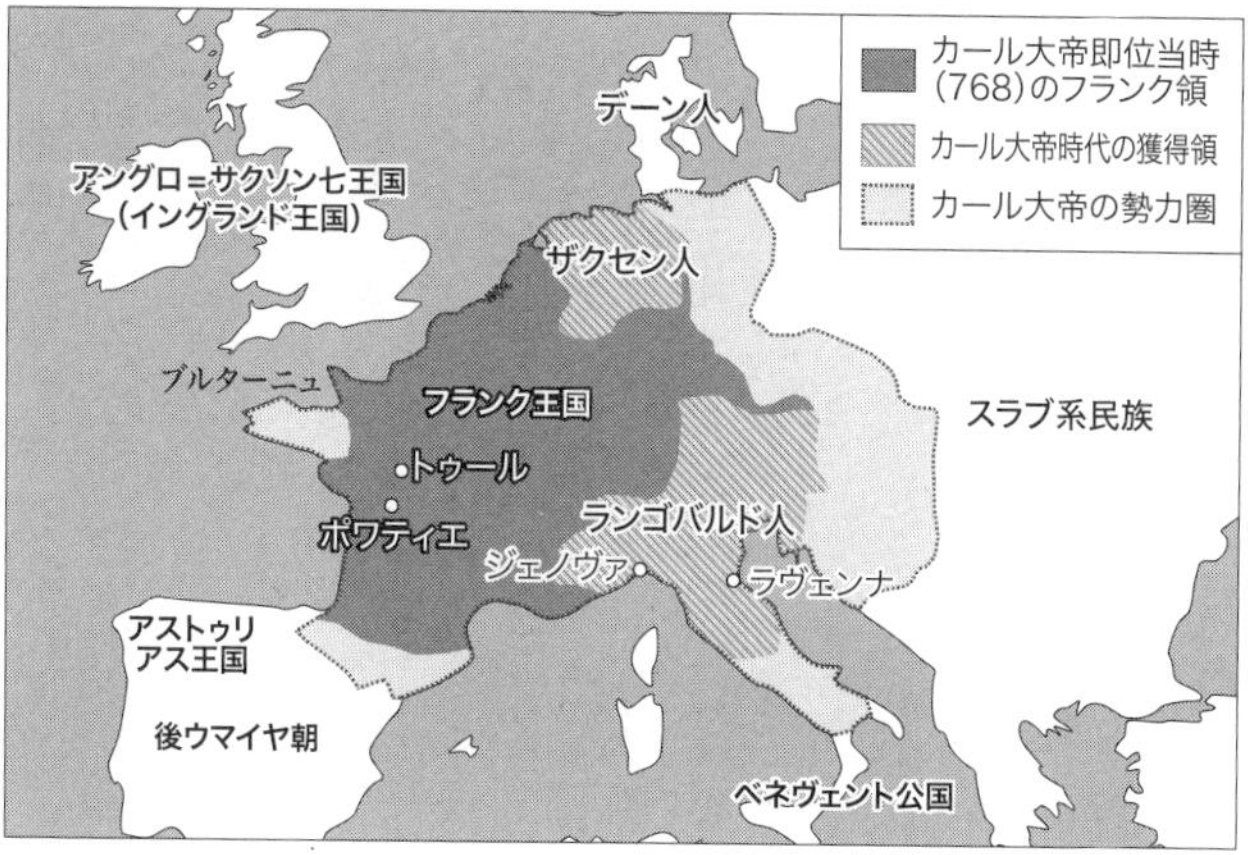

8〜9世紀前半頃のフランク王国

3世は751年、クーデターでメロヴィング家を倒し、新しくカロリング政権を樹立します。その子カールは、イタリア半島のランゴバルドを破り、窮地《きゅうち》に陥っていたローマ教皇レオ3世を支援したことから、800年に西ローマ皇帝の冠を戴《いただ》き、カール大帝（シャルルマーニュ）が誕生しました。西ローマ帝国は復活したのですが、カール大帝の死後、王国はふたたび3分割されます。ヨーロッパが本格的に始動するのは、ノルマン人の移動（Chapter12参照）を待たなければなりません。

ヨーロッパの原型をつくり出す

4世紀から8世紀にかけてのゲルマン人の大移動の時代、彼らが移動して、旧ローマ帝国領に入り、そこで新国家を建設したことは、500年以上にわたるローマのヒスパニア（スペイン）、ガリア（フランス）、ブリタニア（イギリス）支配に新しい風を吹き込みました。ゲルマン人的要素とローマ的要素が一体化し、キリスト教という新しい宗教も取り込み、ヨーロッパという新しい歴史的世界をつくったのです。フランク王国がまさしくそれを実現したといえます。ただし、当時のヨーロッパは南部にはイスラムという高度な文化をもった勢力がいました。のちに、第2次民族移動といわれるノルマン人の動きもあります。このようなさまざまな勢力との対立もありますが、最終的には、協調のなかで歴史が展開していくことを忘れてはいけないでしょう。

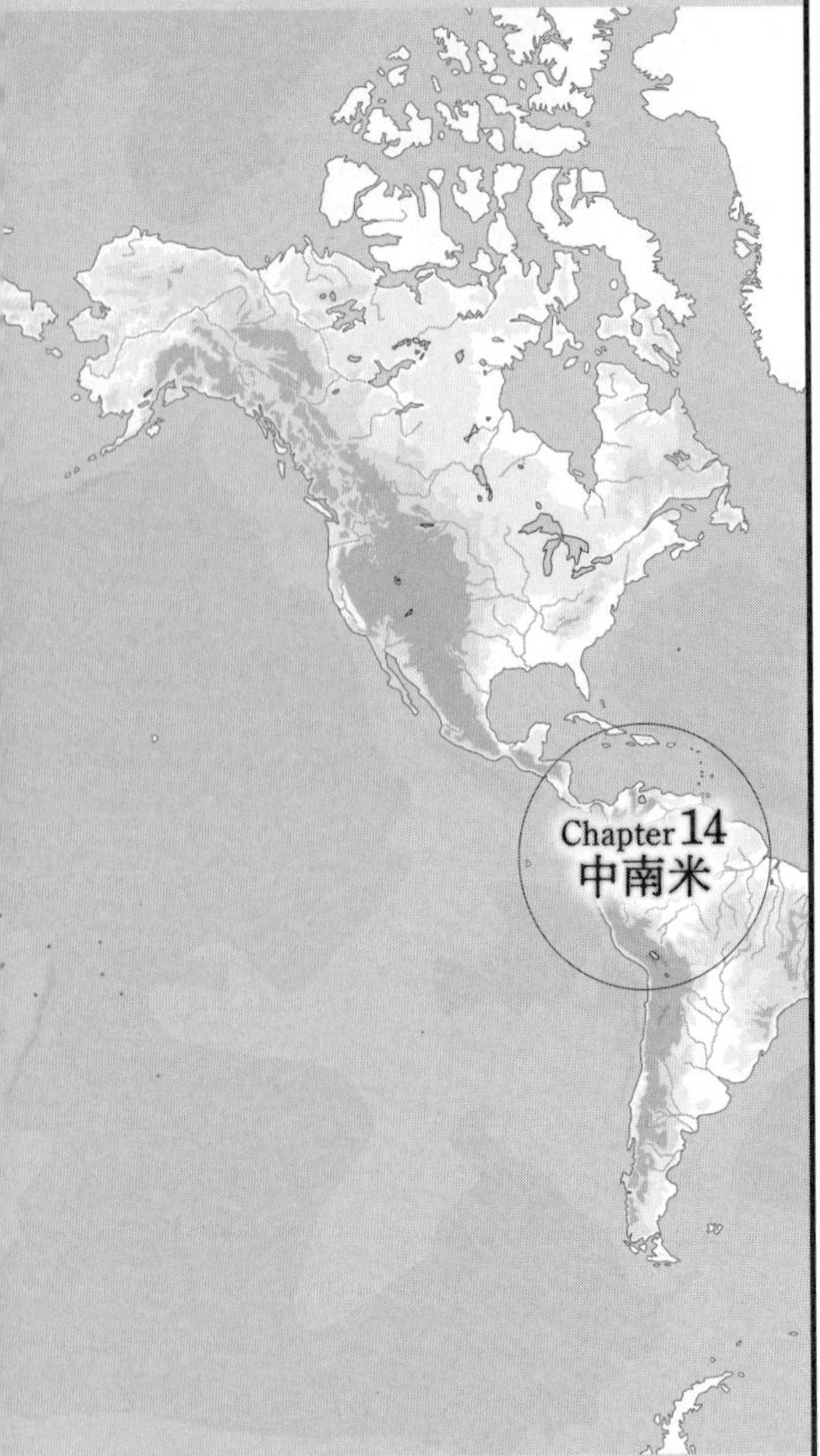

第二部 中近世

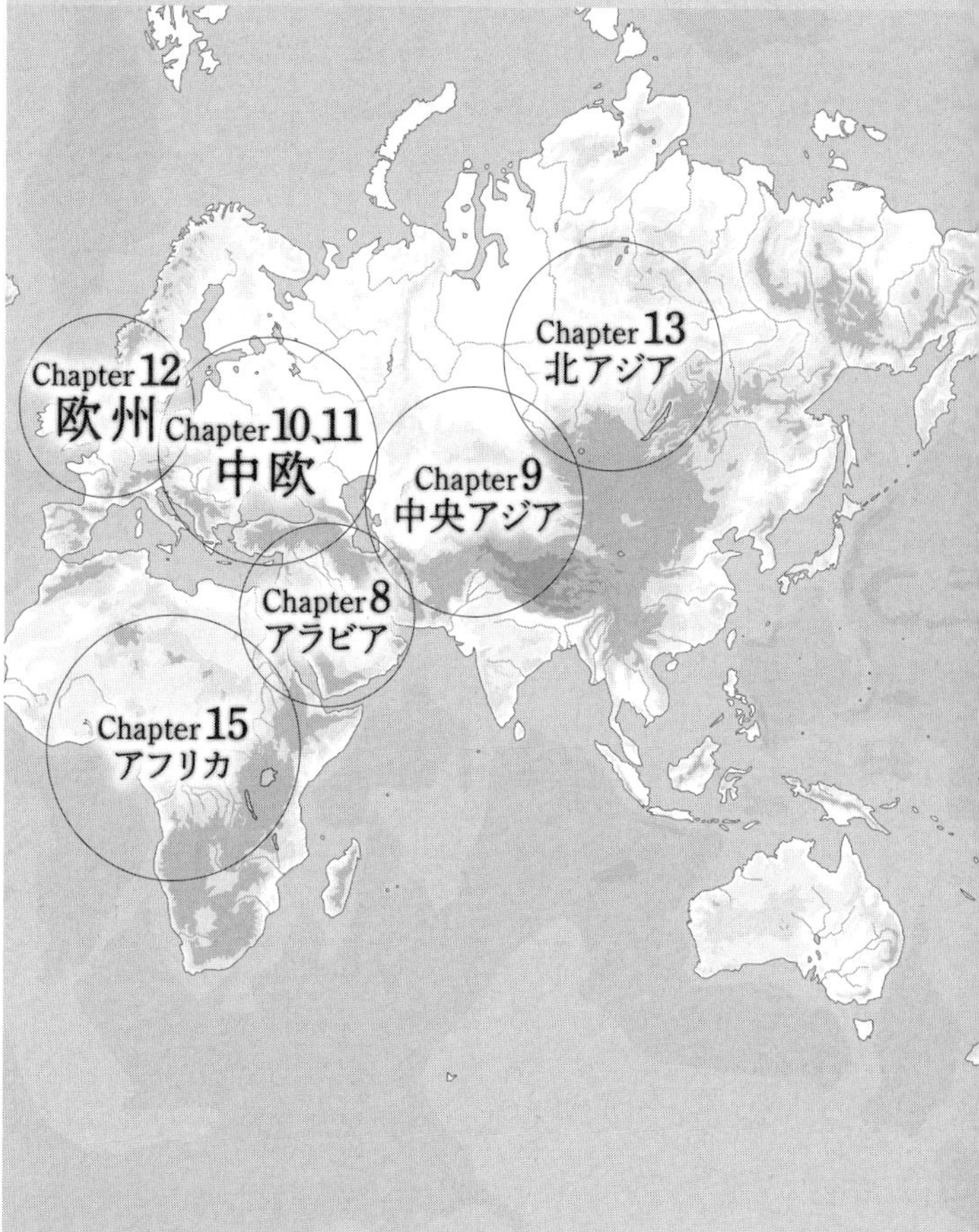
Chapter 13
北アジア
Chapter 12
欧州
Chapter 10､11
中欧
Chapter 9
中央アジア
Chapter 8
アラビア
Chapter 15
アフリカ

Chapter 8

アラビアエリア
6～10世紀頃

アラブ人が築いたイスラム・ネットワーク

概論

今日、中東・イスラム世界は混乱の極みそのものです。第二次世界大戦後の中東世界における混乱の直接的原因は、ユダヤ人のイスラエル建国に求められます。しかし、それですべてが説明されるわけでもありません。中東の地はほとんどがオスマン帝国の支配下にあり、明確な国境もない状態でした。この地域では民族意識というより、部族的伝統や宗派的対立が際立っていたともいえます。もちろん、それぞれの地域のもつ歴史的伝統も出てきます。7世紀に成立して以降、イスラム教はアラブを中心に北アフリカや中東の地に「一体感」をもたらしました。しかし、イスラム勢力内でも対立が生まれています。これは宗派の違いだけで説明のつくものではなさそうです。商人の活躍といった経済的観点から見直してみるのも有効かもしれません。

部族が争うジャーヒリーヤ（無明）時代

アラビア半島の歴史において、ムハンマド（570頃〜632）がイスラム教を広める以前を「ジャーヒリーヤ（無明《むみょう》）」時代と呼んでいます。この地域を支配する政治権力は存在せず、イエメンなど経済的に繁栄していた一部地域をのぞき、部族の対立が続いている状況でした。多神教世界であり、キリスト教を信仰するアラブ人もいたほどです。

古代オリエントの高度な文明のそばに位置しながら、アラビア半島は、そのような発展とは無縁の世界でした。古代の高度な文明の発祥地とは対照的に、雨が少なく河川がありません。例外はアラビア半島の南西部のイエメンで、適度な雨が降り、ダムもつくられ、農業が行なわれ、紅海の商業ネットワークの拠点になっていました。

アラビア半島の砂漠にはオアシスが点在します。その規模は、数百人の人口しか養えない程度の小さいものから、数千人、数万人の生活が可能なほどに大規模なものまでさまざまです。また、中央アジアで見られるようなカナート（地下に掘った水路）を利用する灌漑《かんがい》農業も行なわれていました。雨のほとんど降らない砂漠でも冬には多少の雨があり、そのときに牧草が成長するため、井戸水を利用すれば牧畜も可能で、乳製品の生産もされていました。まったくの不毛の大地というわけではありません。

前12世紀以降、アラム人の活動が活発化しました（Chapter2参照）が、その影響はアラビア半島にもおよび、前1000年紀になると、砂漠での交易には、少ない水で大量の荷物が運べるラクダが適していることがわかってきました。そのため、ラクダの飼育が始まり、それを商人に貸したり、みずから隊商を組織したりする者も出てきます。

このように、7世紀にムハンマドが出てくるまでのアラビア半島では、生活のための商品を携《たずさ》えた商人たちがオアシスを中心にした都市間を行き来し、隊商のネットワークが形成されていました。ムハンマドがアラビア半島を統一する過程で、メディナにいたユダヤ人が重要な役割を果たしましたが、彼らもこの隊商のネットワークを利用してメディナに至ったと考えられます。

ユダヤ教やキリスト教はイエメンにも伝わっていました。イエメンの場合、紅海の対岸に位置するキリスト教国エチオピアからの圧力を排除するため、王がユダヤ

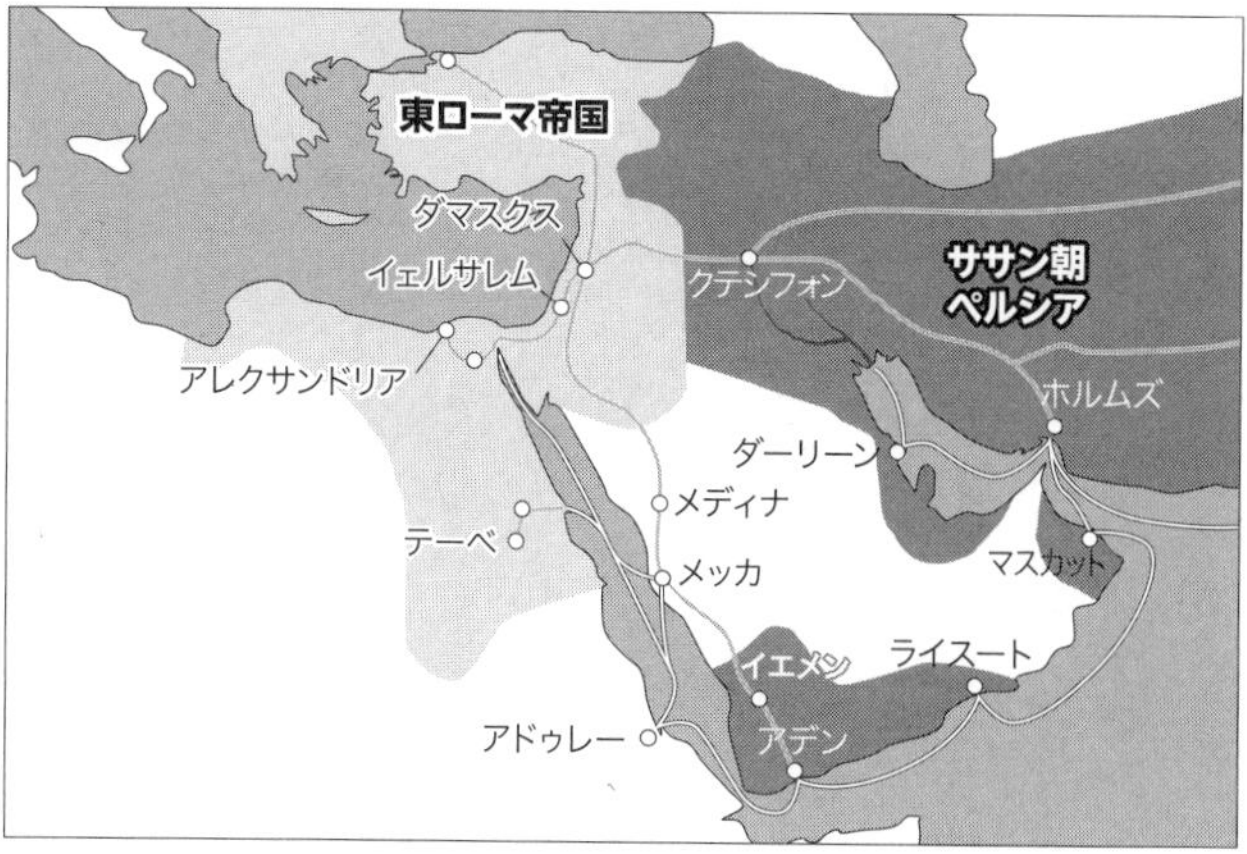

6世紀頃のアラビア半島周辺。アラビア半島にあっていち早く栄えたイエメンと東ローマを結ぶ交易路としてメッカは発展した

教に改宗し、国内のキリスト教徒を弾圧していました。これを知ったローマの皇帝がエチオピア王に圧力をかけ、エチオピアにイエメンを攻撃させ、王を殺害するという事態も起こっています。このような宗教事情は、当時の人々が自由に活動していた証拠ともいえます。ムハンマドもそのような社会で、一神教の影響を受けたのは否定できません。

ムハンマドによるアラブの統一

メッカに生まれたムハンマドは、成長すると共に商業活動に従事するようになります。シリア方面にも赴《おもむ》き、そこでキリスト教やユダヤ教に触れ、影響を受けました。結婚し、生活が安定したところで瞑想《めいそう》生活に入り、アッラーの声を聴いたとして610年頃からイスラム教の布教を始めます。

しかし、メッカの有力者たちは伝統の多神教（部族の神々）の信仰を捨てず、布教には耳を傾けないばかりかイスラム教徒を迫害したのです。いったんメッカを逃れた（ヒジュラ、聖遷《せいせん》といいます）ムハンマドとその信者たちは、メディナに移り、そこで得た信者の協力で10年近い対立ののち、勝利をつかみます。メッカの住民もイスラム教を信仰するようになり、実質的にムハンマドはアラビア半島を統一しました。

本書はイスラム教の教義の説明が本題ではないので、イスラム教徒の義務の「六信五行」の「五行」だけを紹介しておきます。信仰告白（アッラーに絶対帰依《きえ》することの表明）、礼拝（1日5回）、喜捨《きしゃ》（財産の一定率の支払い）、巡礼（目的地はメッカ）、断食がそれになります。近年のイスラム世界では、ジハード（聖戦、アッラーのための戦い）ばかりが問題になっている感があります。しかし、アラブ人はジハードによって団結し、支配領域を広げ、さらにイスラム教の信者を増やしていったのです。

今日、アラブ人といえば北アフリカから中東にかけてのイスラム教徒を指しますが、もともとはアラビア半島の住民のことでした。ちなみに「アラブ」とは「荒野の住民」の意味で、メソポタミアの人々が、アラビア半島の住民をそのように呼んでいたのです。しかし、アラブによる征服と共に、イスラム教に改宗する人々が出てきます。経典の『コーラン』はアラビア語で読まなければならないため、アラビア語を話すようになっていきます。アラビア語を話すイスラム教徒が「アラブ人」になり、アラブ人という概念が拡大しました。ただし、アラブ人のなかにもキリスト教徒やユダヤ教徒がいますし、イスラム教徒になっても自分たちの伝統の言語を話すイラン人やトルコ人のような民族もいます。

ユダヤ教やキリスト教、イスラム教はすべて一神教です。イスラム教は最後に出てきたものであり、ユダヤ教やキリスト教の影響を受けています。ムハンマドは、イスラム教と先行する二つの宗教の違い、つまりイスラム教の正当性を示さなければなりませんでした。そこで彼は最初の人類アダムから20代目、方舟で生き延びたノアから10代目のアブラハムに注目します。アブラハムはユダヤ人の祖であるとともに、アラブ人の祖ということにもなりました。ムハンマドは、アブラハムの真摯《しんし》な信仰を受け継いでいるとしてイスラム教の立場を正当化したのです。

たび重なる暗殺により、泥沼化した正統カリフ争い

ムハンマドの死は、アラブ人社会に大きな衝撃を与えました。神のような存在が姿を消したため、茫然《ぼうぜん》自失の状態に陥ります。そのとき、ムハンマドの妻の一人アーイシャの父親アブー＝バクルが初代のカリフに選ばれます。カリフとは「（最後にして最高の預言者である）ムハンマドの代理人」という資格です。アブー＝バクルは、ムハンマドの死後、各地に出てきた自称預言者の討伐、つまりジハードを行ないながらアラビア半島を再統一したのです。結果、半島の人々はアブー＝バクルの権威を認めました。

アブー＝バクルは戦いのため「軍隊」を編成しましたが、戦いが終わっても、その軍隊を解散することの危険性を感じていたようです。軍人たちは、軍隊にいれば給料が出るし、略奪も認められます。そこでアブー＝バクルは周辺国に挑戦し続けたのです。アラビア半島の周辺では、東ローマ帝国を頂点に敵には困りません。

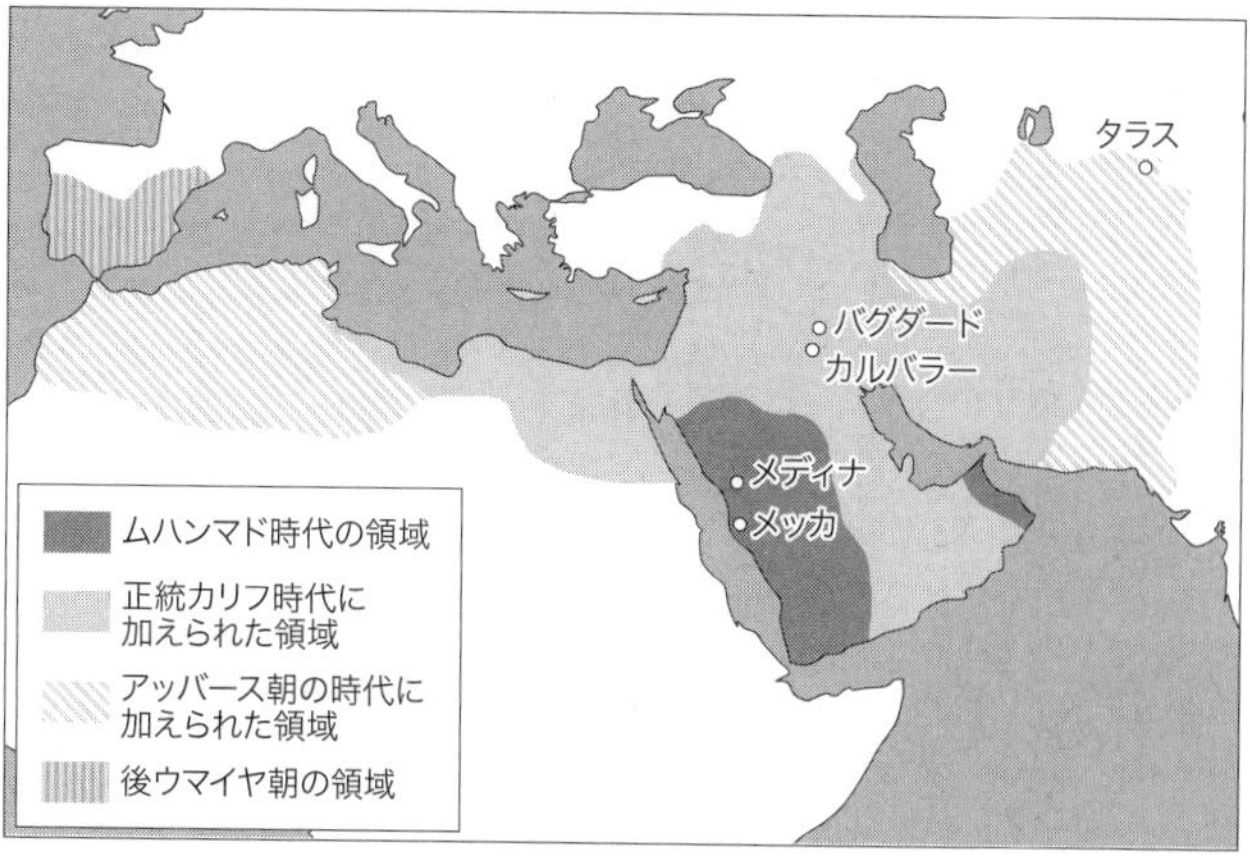

アラブの征服活動の様子。現在でも北アフリカなどにはイスラム教徒が多い

アラブ＝イスラムの軍団は東ローマ帝国やササン朝ペルシア帝国と戦いながら、領土を広げていきました。彼らは格段優れた兵器をもっていたわけではありません。ただ、戦場には彼らが生活の舞台にしていた「砂漠」の近くを選びました。そこなら簡単に逃げられるからです。その結果、ムハンマド没後1世紀を経ず、東は中央アジアから西はイベリア半島に至る広大な領土を実現したのです。

この間、カリフの位はアブー＝バクルからウマル、ウスマン、アリーと続きました。形式的には選挙で選ばれたため正統カリフ時代といいます。しかし、継承ではさまざまな思惑《おもわく》も絡んで対立が深まり、ウマルからアリーまで3人のカリフが、すべて暗殺されています。3代目のウスマンはウマイヤ家の人間でしたが、ウマイヤ家のムアーウィアはシリア地方の総督にもなり、ムハンマドの娘婿《むこ》アリーと対立していたのです。661年、アリーに代わってカリフになったムアーウィアはカリフの位を世襲化し、ウマイヤ朝を開きます。アリーの信奉者たちがシーア派と呼ばれ、対する多数派がスンナ派になります。

ウマイヤ朝の下でも征服事業は進められました。否《いな》、進めざるをえなかったのです。戦争が増えると、軍隊の規模は大きくなります。アラブ人だけでは兵員を補充できなくなり、非イスラム教徒からも軍人を募《つの》ると、彼らもイスラム教に改宗しました。さらに版図が広大になると軍事上の拠点（ミスル）がつくられ、そこには職人や商人たちも集まるようになり、イスラム改宗者も増えていきました。

この間、新しい問題が出てきます。アラブ人は支配階級であり、税でも大きな特権を認められていました。しかし、征服地の非アラブ・非イスラムは収穫の半分にもなるほどの税がかけられただけでなく、困窮した農民はアラブ人によって土地を奪われていきました。彼らは農村では生活できなくなり、都市に移住します。政府はそれを禁止するものの、数が圧倒的で、認めざるをえなくなり、かつ彼らもイスラムに改宗すると年金の支払いも約束せざるをえなくなりました。戦争を続けなければならなくなった大きな原因はここにあります。

しかしながら、アラブ特権階級への不満は大きくなるばかりでした。そのような勢力の支持を集め、750年にクーデターが起こるとウマイヤ朝は崩壊しました。こうして成立したのがアッバース朝です。

アッバース革命により、アラブ帝国はイスラム帝国に

アッバース朝の成立はイスラム世界の大きな変化を意味しました。ウマイヤ家が崩壊したことは「アラブ人」の特権の消失を意味しました。先に書いたように、「アラブ人」という概念は拡大しています。アラビア語を話す人々は基本的にアラブ人といわれるようになります。ただし、イスラム教徒のなかにもトルコ語やペルシア語を捨てなかった人々もいて、アッバース革命ではイラン人が重要な役割を演じました。都がウマイヤ朝時代のダマスクスから新しく建設されたバグダードに遷《うつ》されたのもその一例です。イスラム教徒なら、民族を超えて平等が実現したことになります。アッバース朝の成立が「革命」といわれるのはそのためです。この結果、正

統カリフ時代からウマイヤ朝時代を「アラブ帝国」といい、アッバース朝は「イスラム帝国」と評価されるようになります。

アッバース朝時代に統治機構が整備されます。領土は、東は中央アジアから西はイベリア半島にまで広がり、それを支配するためにかつてペルシア帝国でつくられた中央集権的な官僚機構が採用されました。また、その官僚機構を有効に利用するための道路の整備が行なわれます。都のバグダードから各地への幹線道路はもちろん、支線も整備されました。それらの道路網は、政治・経済的に利用されただけでなく、イスラム教徒の「五行」の一つ「巡礼」のための道でもあったのはいうまでもありません。

ハールーン＝アッラシード（在位786〜809）の時代、アッバース朝は最盛期を迎えたといわれます。実際、バグダードの繁栄は、当時の世界では、東ローマ帝国のコンスタンティノープル、唐帝国の長安と並ぶものでした。ヨーロッパではカール大帝によってフランク王国が大統一されましたが、その後分裂し、安定にはまだ200年以上の時間がかかります。ヨーロッパはイスラム文化から多くのものを学びます。

繁栄を誇ったアッバース朝も、その体制は盤石《ばんじゃく》とはいえませんでした。アッバース家は、ウマイヤ朝の打倒のためシーア派やアラブの反ウマイヤ勢力を利用しました。しかし、やがてその協力者たちに対して、アッバース家は強圧的な対応をするようになります。弾圧された彼らの存在は、アッバース朝の火種になっていきました。9世紀の後半、メソポタミアの下流域で農場での労働が強制されていた黒人奴隷（ザンジュ）が反乱を起こしましたが、これには反アッバース分子も参加していたと考えられています。

10世紀になるとアッバース家のカリフの権威の弱体化は、さらに深刻になります。いっぽうで国内の有力者は職業軍人（傭兵《ようへい》）を雇い、自立化傾向を強めていきます。946年、カスピ海の南西山岳地帯にいたダイラム人のブワイフ家の有力者がバグダードに入城しました。アッバース家は彼に「大将軍（アミール＝アル＝ウラマー）」の称号を与え、実質的に政治権限をゆずりました。成立したブワイフ朝はシーア派を信奉していたのですが、バグダード市民は圧倒的にスンナ派が多く、無用な混乱を避けるため、カリフの位までは奪えませんでした。しかし、第4代カリフのアリーをたたえるなどシーア派に関連する行事が多くなり、スンナ派との衝突も増え、バグダードは衰微し始めます。

アッバース朝が栄え、やがて弱体化するなかで、ウマイヤ家が756年にイベリア半島に建てた後ウマイヤ朝など、独自の王朝が次々に成立します。10世紀にはエジプトでファーティマ朝が成立し、分裂傾向が進みます。ファーティマ朝はシーア派であり、アッバース朝に対抗して「カリフ」の称号を使用し始めます。それを見た後ウマイヤ朝でも、みずからの正統性を強調するため「カリフ」を使い始め、イスラム世界に3人のカリフが鼎立《ていりつ》することになります。以後、バグダードに代わって、エジプトのカイロが政治的にも経済的にも発展していきます。

宗教対立の奥底に潜む経済利権

ムハンマドからハールーン＝アッラシードまでほぼ200年、この間、イスラム教は、西はイベリア半島から東は中央アジアにまで拡大しました。ウマイヤ朝の時代、その版図すべてに「アラブ人」が支配者として君臨しました。今日、そのイスラム世界はさらに拡大しています。しかし、イスラム教を信仰する民族は多彩です。スンナ派とシーア派から始まり、体制派と反体制派、過激派と穏健派など、さまざまな対立も深刻です。

ムハンマドはそんなことは望んでいなかったはずですが、ここまで多様化すると収拾は不可能なのかもしれません。事態が混乱しているとき、物事が複雑化したときには、原点に戻れという教訓があります。今こそ、それを実践するべきときなのでしょうが、対立と混乱を積み重ねた歴史の記憶は簡単には消せません。また、網《あみ》の目のように張り巡らされた商業ルートを眺めていると、教義上の対立は口実で、じつは経済的利権を巡る対立なのかもしれない、とも思えてしまいます。

Chapter 9

中央アジアエリア
4～16世紀

ユーラシアを席巻したトルコ系民族

概論

今日「トルコ人の国家」といえば、アナトリアにある「トルコ共和国」（最大の都市はイスタンブル、首都はアンカラ）を思い浮かべる方が多いことと思われます。しかしながら、トルコ「系」民族が建てた国家や関係する地域は、中央ユーラシアを中心に広く分布しています。西方では「トルコ共和国」ですが、東方では中国の「新疆《しんきょう》ウイグル自治区」があり、その間の中央アジアにはソ連崩壊後、カザフスタンなどのトルコ系国家が誕生しました。その多くがイスラム教徒であり、これらトルコ人が一致団結したら、侮《あなど》りがたい勢力になりかねません。中国政府がウイグル人の政治的な動きに神経をとがらせる理由はそこにあります。

トルコ人は、どのような経緯でここまで広い範囲に移動したのでしょう。

緊張と友好をくり返す遊牧民と中国

トルコ系民族の原住地は、モンゴル高原を中心に東はシベリア、西は中央アジアに広がっていたと考えられています。地域・時代によっていろいろな名称（民族名・国家名）が出てきますが、共通しているのは「トルコ語を話す」ことです。人種的にはモンゴロイドに区分され、9世紀以降、西方に進出・拡大していきます。その過程でコーカソイドとの混血も進み、冒頭で触れたトルコ共和国のトルコ人は、コーカソイドと変わりません。

現代のトルコ系民族は、ユーラシア大陸の中央部を中心に広く分布しています。文献史料に登場するのは、中国の春秋戦国時代（前770〜前221）の記録にある「狄《てき》」が最初とされます。時代が下って秦・漢帝国時代（前221〜後220）、中国を圧迫した匈奴《きょうど》の北方の、モンゴル高原からバイカル湖の辺りに「丁零《ていれい》」がいました。これはトルコ（テュルク）を漢字表記したものとされます。トルコ人の出現です。

くわしい説明に入る前に、ここからの前提知識として、遊牧民と農耕民の生活形態を簡単に紹介しておきます。穀物と毛皮などの交換を軸《じく》に、両者は友好的に共存している場合もあります。しかし、天候不順で穀物や動物が不足、全滅したときなど、遊牧民は農耕地帯に侵入します。遊牧民は「騎馬遊牧民」とも呼ばれるように、馬に乗り、弓を利用する機動力、殺傷力に優れた戦術を得意とし、中国などの農耕民にとって大きな脅威となりました。

このような技術は、西方のイラン系遊牧民スキタイが創始し、東方にも伝わったものとされます。中国で、古くから「長城」が建設されたのは、遊牧民への対抗策でした。長城の前では、騎馬遊牧民は馬を下りなければならず、機動力を生かせません。

しかしながら、堅固な長城が建設されたのは、じつは秦と明の時代で、そのほかの時代は、積極的な長城建設は行なわれていません。ということは、遊牧民と中国の王朝の関係が、かならずしも悪くなかったという証拠になります。圧倒的に中国が劣勢だった時代もあるのですが、農耕民と遊牧民は、適当な交流をもったほうが相互に利益があったともいえるのです。

匈奴による帝国建設が、世界レベルの脅威となる

この章で紹介するトルコ系民族は、北アジアや中央アジア、さらに西アジアの歴史で非常に重要な役割を果たしています。それと並んで、モンゴル人も重要な役割を演じています。しかし、教科書を含め、一般書ではトルコ人とモンゴル人の違いにはほとんど言及していません。両者共にモンゴル高原とその周辺で活躍する遊牧民で、時代が重なることもあり混乱します。

素朴に、「言語」が違っていると理解するのが一番簡単なようです。また、人口はトルコ人のほうが多く、モンゴル人が少ない。それもあり、モンゴル系民族は居住地域が狭くなっています。ただ、チンギス＝ハンに率いられ広大な帝国を建設した際には、トルコ人と同化する動きもありました。いっぽうで西方に移ったトルコ系民族は、コーカソイドとの結婚により、モンゴロイド的形質をなくしていきます。

教科書で、中国史との関係で出てくる最初の遊牧民は匈奴ですが、トルコ系かモンゴル系か、はっきりしない説明になっています。匈奴は、中国で秦が統一を成し遂げるのと前後して大遊牧帝国を建設しました。秦の始皇帝が万里の長城を建設さ

せたのは、この匈奴対策です。中国が統一される一因に、匈奴の脅威があったことが指摘されるゆえんです。

漢の時代になると、匈奴は内紛で東西や南北に分裂したりして、全体的に弱体化します。4世紀頃に北匈奴が西に進みフン族となり、ゲルマン人を圧迫し、彼らの大移動のきっかけをつくりました。中国周辺に残った匈奴は中国社会に入り込み、いくつかの国家をつくりましたが、やがて鮮卑《せんぴ》族（トルコ系かモンゴル系か不明）の拓跋《たくばつ》氏が建てた北魏《ほくぎ》に吸収されます。

トルコ系民族の興亡の末に、ウイグルが台頭

先に紹介した「丁零」に続いてモンゴル高原に出現したトルコ系の勢力が「高《こう》車《しゃ》」です。読んで字のごとく、車輪の大きな車を使用していたようです。彼らは柔《じゅう》然《ぜん》（モンゴル系とされ、西走し、アヴァール人の名で知られます。7～8世紀、東ローマ帝国やカール大帝に敗れ、ほかの勢力と同化しました）の支配下にありました。

6世紀の半ば、その柔然の支配下から突厥《とっけつ》が独立します。この突厥は、秦・漢帝国時代の匈奴のように、隋、唐帝国にとって大きな脅威になりました。隋を建国し

た文帝（楊堅《ようけん》）は突厥を破り、体制を確立したといえます。隋は高句麗《こうくり》遠征の失敗で短命に終わり、代わった唐も成立時は、突厥に屈従していました。しかし第2代太宗《たいそう》（李世民《りせいみん》）が突厥に大打撃を与えます。唐が「東西交渉」をさかんにしたのは突厥を抑えきったからといえます。

玄宗《げんそう》皇帝（在位712〜756）の時代、突厥（第2帝国）に出たビルゲ＝カハンの死後、突厥は急速に弱体化し、代わってウイグル（回紇《かいこつ》）が台頭します。中国の史料では、突厥以外のトルコ系諸族をまとめて鉄勒《てつろく》としていたのですが、その一つです。ウイグルは、建国の頃、安史《あんし》の乱（755〜763）の鎮圧で唐に協力したことで知られます。その安史の乱の一因になった安禄山《あんろくざん》はイラン系ソグド人で、唐の時代の中国と周辺民族との関係の緊密さが理解できます。

改宗したトルコ人がイスラム世界を広げる

遊牧民の居住地域は、それぞれの部族や小集団の活動範囲が大雑把に決まっていて、大きく変化することはありません。天候に恵まれ、草原の羊や馬が繁殖し、併せて人口が増えたとき、その集団は急激に大きくなります。すると、古代の匈奴帝国や13世紀のモンゴル帝国のように強勢を示すことがあります。もちろんその逆もありますし、さらに遊牧民同士の対立が起きる場合も出てきます。

840年頃、やはりトルコ系遊牧民のキルギスの圧迫を受け、ウイグルは中央アジア方面へ移住せざるをえなくなりました。この事件の顚末《てんまつ》は少し複雑です。南方のチベット（吐蕃《とばん》）との対立も激しかったですし、ウイグル内部の対立もありました。それに、天候不順が重なり混乱に拍車をかけました。ウイグルの西走によって、中央アジアのトルコ（トルキスタン）化が進みます。

トルコ系民族は、この後もじょじょに西方に拡大し、それぞれの地域の先住民（イラン系など）と混血していきます。ところが、その過程で、トルコ人もイスラムに改宗し始めます。そのために彼らの意識のなかで、トルコ人であることよりも、イスラム教徒であるという連帯感が大きくなっていきます。そしてイスラム世界においてトルコ人の果たす役割は、本来の「アラブ人」を上回るようにもなってくるのです。

中央アジア（トルキスタンともいいます）に関して、確認しておいていただきたい地域名を少しだけ紹介します。大雑把に、西のカスピ海から東のアルタイ山脈ま

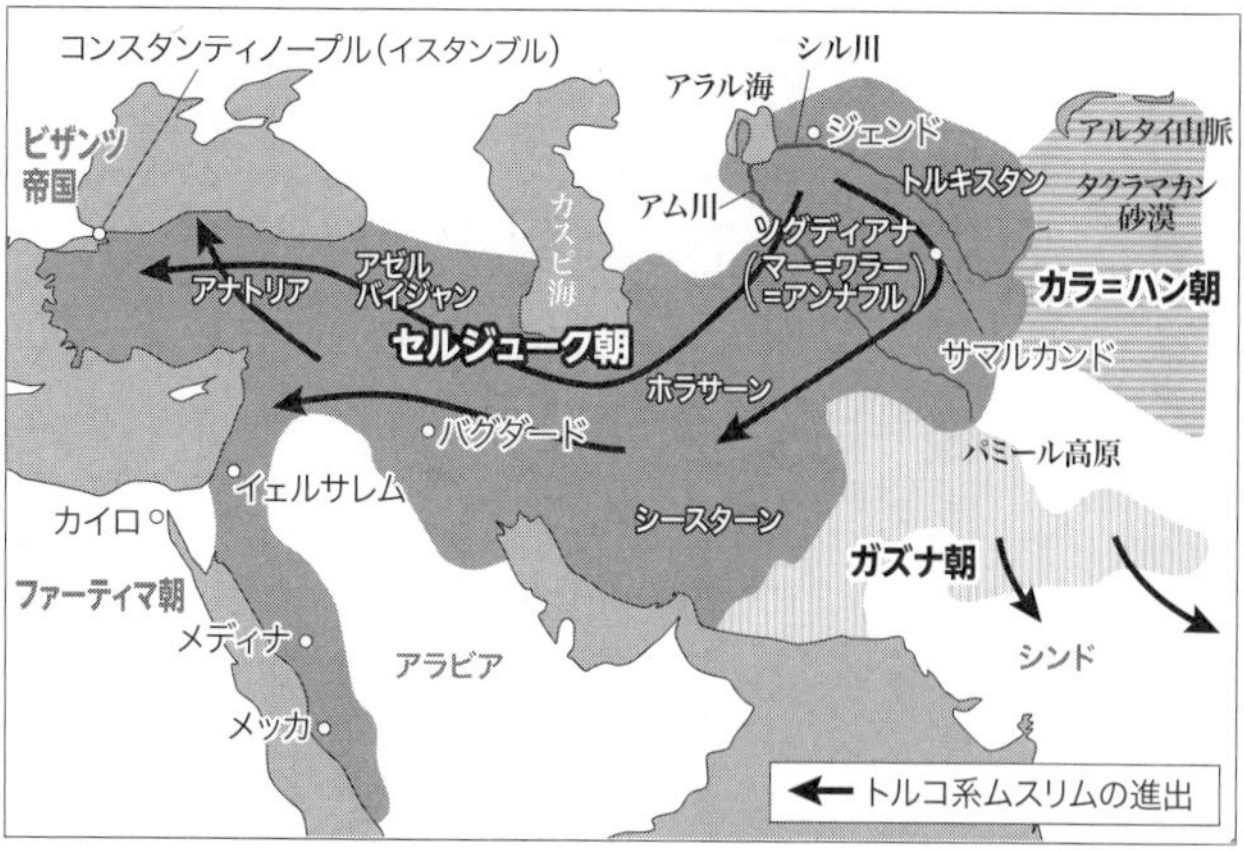

トルコ系民族の西進の様子

での地域が中央アジアです。その中間にパミール高原があり、中央アジアを東西に分けています。

東部には、天山《てんざん》山脈がありその南がタリム盆地でタクラマカン砂漠が広がっています。北部がジュンガル地方になります。西部にはアラル海があり、そこにシル川（ヤクサルテス）とアム川（オクソス）が流れ込んでいます。アム川から西方イランにかけての地域がホラサーン、アム川とシル川を中心にした地域がソグディアナになります。なお、ソグディアナはアラブの進出後、マー＝ワラー＝アンナフル（アム川の向こうの土地）と呼ばれました。

中央アジアは、いわゆる「絹《きぬ》の道」の舞台になります。この中央アジアの中心部にもいろいろな民族がいますが、そのなかでソグディアナの名のもとになったソグド人は、イラン系民族です。その地方のオアシスで農耕を行ないながら、同時に商業活動に従事していました。彼らは統一国家を樹立したわけではないのですが、サマルカンドなどのオアシス都市が連合して、大きな力を誇っていました。ソグド人はイラン系民族として知られますが、ウイグルが西進してきたのちには、じょじょにトルコ人と同化していきます。

この中央アジアでもトルコ人は増加していきます。その一つの例として、アラル海の北方にオグズという部族がいました。彼らは南下してアム川の北岸のオアシス地帯に住むようになります。その地で彼らもイスラム化し、イスラムの文献に「トルクマーン」と記されるようになります。このなかから出てきたセルジューク族が11世紀に西アジアに進出し、東ローマ帝国とも対立して、十字軍の原因をつくることになるのです。

中央アジアにトルコ系イスラム王朝が割拠

ウイグルの西走後、中央アジア周辺にはトルコ系民族が割拠《かっきょ》状態になります。10世紀頃になってカラ＝ハン朝が強大化し、イラン系のサーマン朝を倒します。カラ＝ハン王朝以降、トルコ人のイスラム改宗が進みます。

サーマン朝の支配下に置かれていたセルジューク族もイスラム教の影響を受け、改宗していきました。ほかにも、11世紀にトルコ系イスラム王朝のホラズム国が成立していますが、これはチンギス＝ハン（在位1206～1227）に敗れ、その支配下に置かれました。

チンギス＝ハンはモンゴル人です。ここまで、トルコ系民族について追いかけてきましたが、その最初の活動の舞台が「トルコ」高原と呼ばれず「モンゴル」高原と呼ばれるのをおかしく感じたかもしれません。実際、突厥やウイグルの時代、まだモンゴルは歴史の表舞台に現れず、7世紀頃の史料に「蒙兀《もうごつ》」の文字が見られるのみです。統一国家は出てきません。モンゴルの名が一般化するのは、チンギス＝ハンが活躍して以降のことなのです。

モンゴル高原にはもともとケレイト、タタール、メルキト、モンゴルなどの諸部族がいました。13世紀になって、そのうちの「モンゴル」がテムジン、のちのチンギス＝ハンによって統一されます。勢いのついた彼は、息子たちと共に中央アジアから西アジア、さらには東ヨーロッパにまで領土を拡大しました。なお、このときのモンゴル軍団の多くはトルコ系だったといわれます。

チンギス＝ハン亡き後、兄弟の対立から中央アジアにはチャガタイ＝ハン国、西アジアにはイル＝ハン国（トルコ語、モンゴル語でイルは「国・人々」、ハンは「首長」の意味です）、南ロシアにはキプチャク＝ハン国（キプチャクはトルコ系部族の名前です）ができました。これらが13〜14世紀に果たした東西交渉史上の役割は評価しきれないものがあります。その内部でモンゴル人のトルコ化が進行していました。中央アジアのチャガタイ＝ハン国もその例外ではありません。

14世紀に中央アジアで覇権を確立するティムールもトルコ化したモンゴル人です。ティムール帝国は中央アジアからイラン・イラクに領土を広げ、オスマン帝国を破る勢いも示しました。16世紀初め、イランにはイラン人がサファヴィー朝を建設します。しかしこのサファヴィー朝の軍事力はトルコ人に頼っていました。中央アジア西部の地にはロシアが侵入するようになり、トルコ系ウズベク人が建てていたヒヴァ、ボハラ、コーカンドの3汗《ハン》国はロシアに併合されます。

1917年のロシア革命は、ロシア領中央アジア内のトルコ系民族の独立の契機になったのですが実現せず、ソ連を構成する15共和国の五つとして組み入れられました。そして1991年、ソ連が崩壊したことでカザフスタン、ウズベキスタン、トルクメニスタン、タジキスタン、クルグズスタン（キルギス）の新国家が建設されます。しかし、長くロシアの支配下にあったため「歴史のない国」とされ、みずからのアイデンティティーを模索しています。

これらの独立が中国支配下のトルコ人、ウイグル人に大きな刺激を与えました。ロシアと中国は、その動きを牽制《けんせい》するために、上海協力機構などいろいろな手段を講じていますが、世界の不安定要因になりかねない問題も含んでいます。

オスマン帝国から「政教分離」のトルコ共和国へ

冒頭でも書きましたように、トルコ共和国は、トルコ人の歴史に一番の輝きをもたらしたオスマン帝国を継承しています。ただし、この国が「トルコ人」の国家であったかというと否定的な答えが出てきます。スルタンはトルコ人でした。しかし、官僚はトルコ人以外が務めていますし、軍隊の中核になったイェニチェリは、イスラムに改宗が求められたもののもともとはキリスト教徒です。トルコ人至上主義でもなければ、イスラム教が強制されたわけでもありません。キリスト教徒もユダヤ教徒も自治を認められていました。

この国の試練は18~19世紀以降、国民主義の高まりによりギリシア、エジプトに続き、諸民族が独立への動きを積極化させたことから始まります（Chapter20参照）。それにヨーロッパ列強の動きも絡み、オスマン帝国は「ヨーロッパの病人」とまでいわれます。体制の立て直しは失敗し、第一次世界大戦に巻き込まれました。戦後の革命で「帝国」は崩壊し、成立したトルコ共和国では政教分離が断行され、イスラム世界で初めて世俗国家になりました。近年、「帝国」時代の栄光を背景に、中東での存在感を大きくしています。

世界融和を進める力をもつトルコ人

トルコ人は中国の北方、モンゴル高原の一角から出てきた遊牧民です。8世紀に彼らがモンゴル高原から西に進んだこと、そして人口が多かったこと、さらにはイスラム教に改宗したことで、ユーラシアのみならず、世界の歴史を大きく変えたともいえます。

トルコ系民族はトルコ、中央アジア、新疆《しんきょう》ウイグル自治区はいうまでもなく、アラブ＝イスラムやヨーロッパ世界を併せると世界中で1億数千万人が存在するといわれます。彼らの動向は、優に世界を動かす力を秘めています。トルコ人の生きてきた歴史を学ぶことで、民族融和のヒントが何か得られるかもしれません。

Chapter 10

中欧エリア
10〜20世紀

国家消滅と領土変更を強制されたポーランド

概論

ヨーロッパ諸国は、多民族国家とはいいませんが、多くの民族を抱えているのがふつうです。そんななかでポーランドは、ポーランド人が多数を占める、やや特異な国家になります。当たり前といえば当たり前のことなのですが、その原因は、ポーランドの歴史が安定していたからではなく、ポーランドの経験してきた歴史的試練にも求められます。中世には圧倒的な強大さを誇り、領土も広大であったポーランドが18世紀末には国家をなくし、20世紀に独立を達成した後も周辺国家の侵入などによって、領土は二転三転しました。その過程で、現在のポーランドが生まれ、民族的にも単一化が進められたのです。現代のような国民国家の時代は、それを喜ぶべきなのかもしれませんが、国民の純粋化が幸なのか不幸なのか、考えてみる必要はありそうです。

東西交通路の平坦さが悲劇を生み出す

ポーランドの地形は一言でいうと平坦な草原でしょう。少しイメージを強めておきますと、西はドイツ、東はウクライナの草原に続いています。南方にはカルパチア山脈などの山岳地帯がありますが、これは自然の障壁というほどに峻厳《しゅんげん》なものではありませんが、東西の交易路が平坦でありすぎるために、南北の交通はあまり発達しなかったといえます。そしてその平坦さが、ポーランドの悲劇の大きな原因になります。

東西交通の一番の幹線はベルリン〜ワルシャワ〜モスクワを結ぶものになります。南方では古都クラクフからルブフ（現在はウクライナ領）〜キーウ（キエフ）〜モスクワに通じるものもあります。もちろん、それらから派生していろいろな都市が結ばれます。ここで紹介した都市で一番おなじみでないのが「ルブフ」になると思われます。これはポーランド語の読み方で、ウクライナ語ではリビウ（リヴィウ）、さらにドイツ語やイディッシュ語（ユダヤ人の言葉）ではレンベルクといいます。ドイツ人やユダヤ人がこの都市に絡んできていることが、この地域の複雑さを表しています。

さらに、ポーランドやウクライナの歴史では「ガリツィア」という地名がしばしば出てきます。これはポーランド東部からウクライナ南部にかけての地名で、スロバキアの北部やルーマニア西北部で国境を接しています。リビウはこのガリツィア地方の主要都市になるのです。ここで紹介しているポーランド人にとって、ガリツィアは「固有の領土」というほどの強い思いのあるところです。

冒頭でも書きましたように、ドイツ、ポーランド、ウクライナの地形は平坦です。それがために、国境は大きな変遷を経験してきています。現在、ポーランドとドイツの国境はオーデル川・ナイセ川になっています。ポーランドとウクライナの国境線はいわゆるカーゾン線（第一次世界大戦後、イギリスのカーゾン卿《きょう》がソ連・ポーランド間の国境を定めたことに由来します）で落ち着きました。このような国境線の画定の過程でドイツ人などポーランド人以外の人々が強制移住させられ、ポーランド人の人口が、いわば「凝縮」されていったのです。

ポーランド＝リトアニア連合王国の成立で、中世には大国に

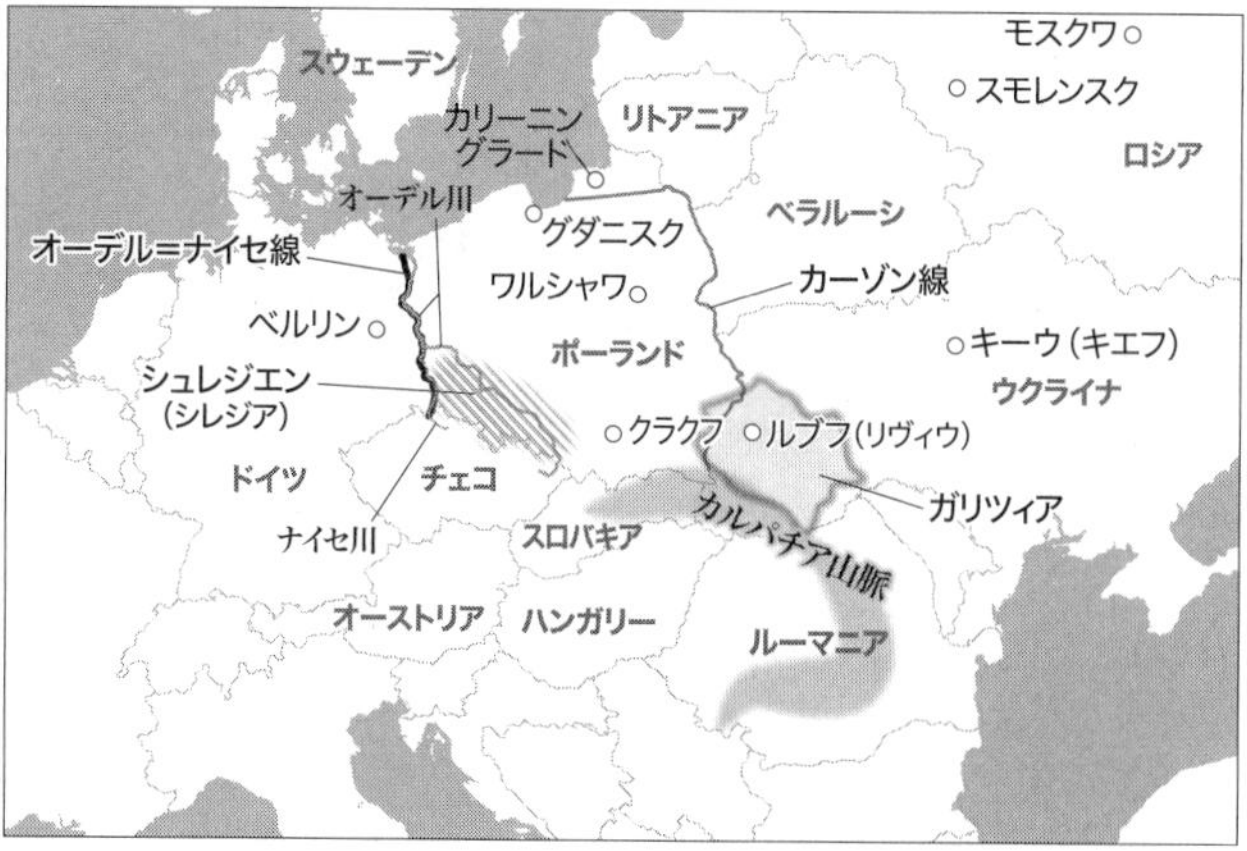

現代のポーランド周辺

19～20世紀のポーランドの歴史は試練の連続でした。しかしそのポーランド人も、中世では黄金時代ともいうべき繁栄期を経験しています。そもそもポーランド国家の成立は10世紀と考えられます。スペインから移住してきたユダヤ人の残した記録にポラニェ族の族長ピャスト家のメシュコ1世の名が出てきます。これがポーランド国家の始まりとされます。

ポーランドの歴史は西の神聖ローマ帝国（ドイツ）、南のボヘミア（チェコ）、東のキエフ公国（ウクライナ）との同盟や戦争をくり返しながら国家体制を整えてきたといえます。ポーランドがキリスト教（カトリック）を受容したのは、このような過程においてであり、ドイツ人宣教師が進出してくるのを牽制《けんせい》するためのものでもありました。しかしポーランドでは貴族（シュラフタ）の対立によって政治的混乱が続き、それに乗じて、13世紀にはドイツ人の東方植民も本格化していきます。

ドイツ人の東方植民はポーランド人にも刺激を与えました。農業の生産力が上昇したことを背景に都市が成長してきます。そのような経済的発展を前提に、ポーランドの統一が進められます。14世紀の中頃に出たカジミェシュ3世（大王、在位1333〜70）は一時代を画《かく》しました。彼の時代、ボヘミアと領土問題で対立し、シュレジエン（シレジア）地方を失いましたが、ガリツィアを確保し、ポーランドは東方への拡大を図るようになります。また、大王はクラクフ大学を設立しますが、これは国家の官吏養成のための機関となりました。

カジミェシュ3世の死によってピャスト朝は断絶します。1386年、カジミェシュ3世の甥《おい》の娘ヤドウィガが、東の隣国で当時、やはりドイツ騎士団の侵入に対抗していたリトアニア大公ヨガイラ（ポーランド語読みでヤギェウォ）と結婚し、ヤギェウォ朝が始まります。この結果、リトアニアとポーランドが同君連合国家となりました。この連合国は1410年、タンネンベルク（グルンヴァルト）の戦いでドイツ騎士団に勝利。さらにそれに続く騎士団との戦いの結果、グダニスク（ドイツ名ダンツィヒ）を中心にしたバルト海沿いの土地を獲得し、バルト海から黒海までの広大な領土を誇りました。

16世紀初めのポーランド王は、ドイツで起きた宗教改革のため弱体化したドイツ騎士団やリヴォニア騎士団（当時はドイツ騎士団の分団になっていました）の土地を奪います。また、ポーランドの強大化に対してロシアのイワン4世が抗議、ポーランドとロシアの長い戦争が始まります。この戦争を戦うため、ポーランドとリトアニアの関係はより強化され、その勢いでロシアを破り、バルト海岸（クールランド）に領土を拡大しました。しかしいっぽうで拡大方針に反対する勢力も多く、政治対立のなかで、シュラフタ（貴族層）、さらにはマグナートと呼ばれる上級貴族が台頭します。そして16世紀末から王家の断絶が続き、17世紀にはスウェーデンの影響力が強くなってきました。さらに17世紀には、ロシアやプロイセンなどの介入が続く「大洪水時代」を迎えます。

1795年、3度目の分割により国家が消滅する

ポーランドの弱体化とは対照的に、18世紀になるとその周辺の東ヨーロッパ諸国、とくにロシアの動きが急になってきます。そのきっかけは17世紀の末に即位したピョートル大帝です。彼はバルト海周辺に領土を広げ「バルト帝国」を建設していたスウェーデンと戦い勝利して（1700～21年の北方戦争）、バルト海沿岸に進出しました。サンクトペテルブルクの建設はこの戦争中になります。

さらに18世紀後半のロシアに出たエカチェリーナ2世の時代、彼女より少し早く即位していたオーストリアのマリア＝テレジア、プロイセンのフリードリッヒ2世（大王）という、共に覇権を争う3人によってポーランドが犠牲になります（ポーランド分割）。政治的に混乱していたとはいえ、広大な領土を有していたポーランドが周辺国家の思惑により、1795年に消滅してしまうのです。この間、わずか20年余り。ナショナリズム（国民主義）という意識がじょじょに形成されているヨーロッパにおいて、衝撃的な事件になりました。以下、簡単に過程を紹介します。

エカチェリーナ2世の愛人として知られるスタニスワフ＝アウグストはロシア駐

在中、陰謀事件でロシアを追われ、ポーランドに帰国しましたが、その後、エカチェリーナの後押しもあり、1764年にポーランド国王に即位しました。彼はポーランドの再建のためポーランドの絶対主義化を推進しました。エカチェリーナとしては、ポーランドがロシアに従順な国家になることを期待したので、思惑が外れたことになります。

ところで、ロシアとプロイセンは1756年に始まる七年戦争の末期以来、同盟関係にありました。同時期にプロイセンに奪われたシュレジエンを取り戻そうとしたオーストリアは、プロイセンに接近し、シュレジエンを回復する代わりにポーランド領の一部を与えるという話をもちかけました。しかし、プロイセンはこれを拒否します。

そんなとき、ロシアはバルカン半島への進出を始め、オーストリアと対立することになります。このような3国の利害が対立するなかで、1772年にポーランドが犠牲にされたのです。ロシアはリトアニアやベラルーシ（白ロシア）、プロイセンはグダニスクをのぞく西プロイセン地方、オーストリアはガリツィア地方をそれぞれ奪い取りました。

1793年の第2回分割も、バイエルン問題やオスマン帝国との利害の対立のなか、プロイセン・オーストリア・ロシアの3国が駆け引きを行ないます。ただし、マリア=テレジアはフランス革命も絡んでこの分割には反対したこともあり、オーストリアは参加しませんでした。

第3回の分割は1794年、愛国者コシューシコの起こした反乱がきっかけになりました。彼はアメリカ独立戦争に義勇兵として参加した人物なのですが、フランスの援助が得られず、結局はロシア・プロイセン・オーストリア3国によって分割され、1795年にポーランド国家は消滅したのです。

ガリツィアにはドイツ人が移住します。併せて、プロイセンの保護を受けていたユダヤ人も、その経済力を買われてこの地域に入りました。この地域で多言語が入り混じるのは、このような歴史的経緯があるからです。

フランス革命に続くナポレオン戦争は、ポーランドの分割を解消させたともいえ、ポーランドにはワルシャワ大公国ができます。しかしナポレオン没落後に成立したポーランド王国は、かつてのポーランドの領土には程遠く、ロシア皇帝が国王になるという実質、ロシアの属国でした。1846年にはガリツィアで反ロシアの反乱が起きたりもしますが鎮圧されます。その結果、それまでは認められていたポーランド語の使用が禁止され、19世紀を通じて、ポーランド人はロシアの支配下に甘んじなければなりませんでした。

第二次世界大戦開始と第4次ポーランド分割

第一次世界大戦の結果、ポーランドはほぼ150年ぶりに独立を回復しました。しかし、このときの国境画定は難航します。西部では、グダニスク（ダンツィヒ）の回復はならないものの、この段階で内陸国になったポーランドにそこの港の使用権が認められ、さらに、そこに至るポーランド回廊《かいろう》（ポメラニア地方、西プロイセン地方）がポーランドに割譲されました。この結果、ドイツ人の不満が大きくなったのはいうまでもありません。

独立を果たした段階で、ポーランドは東部国境に関しても不満をもっていました。ポーランドの新国境に関してイギリスのカーゾン卿は、いわゆるカーゾン線を設定して調停を図りました。しかし、ソ連・ポーランド両国は共にこれに不満をもち、ポーランドはソ連と開戦し、1921年のリガ条約で国境をカーゾン線のさらに東方へ拡大しました。ポーランドはウクライナやガリツィアを領有したのです。ソ連にとって承認できない内容でしたが、革命後の混乱が続くソ連には、それを覆《くつがえ》す力がありませんでした。

ドイツでヒトラーが政権を握ると、ポーランドを巡って、かつて失った領土に対する不満が露骨になってきます。イギリスをはじめとするヨーロッパ諸国は、社会主義ソ連とナチス支配のドイツは対立すると読み、ドイツへの宥和《ゆうわ》政策を行なっていました。ところが、1939年8月、ドイツとソ連は突如不可侵条約を結びます。そして翌9月、ドイツがポーランドに侵攻、英仏もドイツに宣戦して第二次世界大戦が始まりました。ソ連も軍を動かし、ポーランドは独ソ両国によって分割されました。これを第4次ポーランド分割と呼ぶことがあります。ポーランドはまたも地図上から姿を消したのです。この過程でウクライナはソ連の支配を受けることになり、ガリツィアはウクライナに併合され、ポーランドの手を離れました。

このときのソ連占領地区は、1921年にポーランドが併合した地域でした。もともとウクライナ人やベラルーシ人が多く、住民投票でソ連に併合されました。ポーランド系住民はソ連辺境に強制移住させられ、その半数が劣悪な条件下で死亡したといわれます。また、ポーランド人将校1万5000人余りがソ連の捕虜になり、移送中、ロシアのスモレンスク近くで虐殺された「カティンの森」事件もよく知られます。

いっぽうのドイツ占領下のポーランドでも、ナチスによるポーランド人やユダヤ人への迫害が続きました。ポーランドでの犠牲者600万人のうち半数がユダヤ人でした。

1941年に独ソが開戦すると、当初はドイツ軍が圧倒的に優位でソ連領内にまで侵攻しました。やがてソ連の反攻が始まり、ポーランドの地下組織も動きました。彼らは、44年、ソ連軍がヴィスワ川に迫ってきた状況を利用して決起します。しかしスターリンは彼らの反ドイツ的・反ソ連的性格を嫌い、軍を待機させました。このため20万人といわれる蜂起《ほうき》軍は壊滅します。このような事情が、戦後のポーランドのドイツやソ連に対する感情を微妙なものにしたのです。近代以降、プロイセンとロシアの間で続いてきたポーランドの苦難は、第二次世界大戦後にももち越されたことになります。

戦後、ポツダム協定でオーデル＝ナイセ線が定められる

第二次世界大戦の結果、ポーランドを取り巻く国境はふたたび大きく変わりました。かつて、東プロイセンとしてドイツの東方での「飛び地」になっていたケーニヒスベルク（現カリーニングラード）を中心にした地域は、ソ連が領有することになりました。ポーランドにとっては、ドイツに代わってソ連が目の上の瘤《こぶ》になったわけです。

1921年に獲得した地域はソ連に返還され、かつてのカーゾン線がほぼポーランドとソ連（ベラルーシとウクライナ）の国境になりました。そしてここで失った領土は、ドイツの犠牲で補われたことになります。オーデル川までの西プロイセン・東プロイセン地方が、ポーランドに与えられたのです。当然ドイツは不満ですが、ソ連の衛星国化された東ドイツ（ドイツ民主共和国）はそれを受け入れざるをえませんでした。この地域のドイツ人が、大幅に縮小したドイツ本国に強制移住させられたのです（Chapter11参照）。

第二次世界大戦後、大国の指導でつくられた西部国境に関して、ポーランド人は

大きな不満をもっていました。しかし、背後にあるソ連の圧力のため認めざるをえず、東ドイツとポーランド政府の間でそれを確認しました。西ドイツ（ドイツ連邦共和国）はそれを認めない状況が続いていました。

しかし、その国境の固定化を認めたのは西ドイツの新たな政策によります。1960年代以降、世界的なデタント（緊張緩和）傾向のなかで、西ドイツでも社会主義諸国家との関係改善を図る動きが出てきました。1970年、西ドイツのブラント首相が行なった東側諸国との話し合いを軸にする外交を「東方外交」といいますが、そのなかでオーデル＝ナイセ線の現状維持を約束したのです。これでポーランドの現代の国境が画定されたことになります。

インドネシア・マレーシアの諸民族

中国とインドの人口はともに13億人を超え、1位と2位を争っています。3位は3億2600万人のアメリカ合衆国で、それに続き4位にランクされるのが2億6000万人余りのインドネシアです。このインドネシアという国家は、1万4000ほどの島々から成り立っています。

それらの島々のなかでとくに大きいのが、スマトラ島とカリマンタン島、さらにパプアニューギニア島の西半分になります。日本人には、マラッカ海峡やバリ島が有名かもしれません。世界史で大航海時代などを扱うときにはモルッカ（マルク、香料）諸島が出てきます。これらの島々からなるインドネシアは民族構成も複雑です。とはいうものの、中国人やインド人など外部から移住してきた人々は別にして、インドネシアは200〜350といわれる言語集団に分かれます。ただし、そのほとんどがアウストロネシア語族に含まれます。

なかでも多数を占めるのがジャワ人（45パーセント）で、スンダ人（15パーセント）、さらにマドゥラ人やマレー人（共に7・5パーセント）が続きます。細かいことは説明しきれませんがスマトラ島西部のアチェ人、バリ島のバリ人など、ときどき話題になる人々がいます。とくにアチェ人はイスラム教を最初に受け入れたという自負もあり、インドネシアで最も敬虔《けいけん》なイスラム教徒として知られます。オランダの侵略に対しても果敢に戦った地域の一つです。その団結力はイスラム教に由来し、今日、インドネシアのなかでもアチェは特別州として、自治を認められています。

ところで、インドネシアの公用語は「インドネシア語」です。そしてこの言葉はマレーシア語とほぼ同じといってもいいほどよく似ています。マレーシアとインドネシアはマラッカ海峡を挟み、イギリスとオランダの植民地だったという違いはあったものの、東南アジア貿易の中心であり、両者の行き来は古代以来のものです。言語などで共通要因が出てくるのは当たり前のことといえます。

マレーシアは、マレー半島とカリマンタン島北部（サラワクとサバ）からなる国家です。このような変則的な領土になったのは、イギリスの植民地であったことが原因になります。マレー人の4分の3は半島に住み、カリマンタンではマレー人は中国人よりも少ないという状況があり、独立については民族的な問題も克服してきた歴史があります。

Chapter 11

中欧エリア
10～20世紀

中世以来、拡散したドイツ人の帰国

概論

戦争は多くの悲劇を生みます。第二次世界大戦の最大の当事国であったドイツは、東部を中心に多くの領土を失っただけでなく、その地域からのドイツ人の「帰還」を受け入れなければなりませんでした。その人々は、開戦と共にドイツが占領し、支配者として新たに移住したのではなく、中世以来の長い歴史のなかで行なわれてきたドイツ人の東方進出の結果、それぞれの地域に住み着いていたのです。そのような長い歴史を積み重ねてきたドイツ人たちが、強制帰還させられたことになります。こうした人々はそれまで築き上げた財産を失っただけでなく、そのとき、帰国する故国が二つに分割されていた（敗戦直後は4国の分割占領）という厳しい現実にも直面することになりました。

第二次世界大戦後、周辺国より2000万人がドイツに帰国する

戦争後の混乱時ですから、正確な数字はわかりませんが、ソ連やポーランド、チェコスロバキアを中心とした諸国から、第二次世界大戦の敗戦国ドイツへの帰国を強制されたドイツ人は1600〜1700万人と推計されています。この数字のなかには、帰国途中に飢餓や病気などで命をなくした人々の数は含まれていませんから、おそらく2000万人に近いドイツ人が移動したものと考えられ、短期間の「民族移動」としては、人類史上希有《けう》なものになります。いかに多数のドイツ人が東ヨーロッパに生活の拠点をおいていたか、中世以来の歴史があらためて認識できます。

第二次世界大戦の結果、ドイツは多くの領土を失いました。日本人にとって一番おなじみなのは、フランスとの国境地帯のアルザス・ロレーヌでしょう。この地域は1870年に始まったプロイセン＝フランス戦争でドイツが奪い、第一次世界大戦の結果フランスに返還、第二次世界大戦でふたたびドイツが占領したという近現代史の焦点となる地の一つです。しかし、ここで扱うのは東部国境のほうです。ロシア（ソ連）との関係でケーニヒスベルク（カリーニングラード）、ポーランドとの

関係でシュレジエン（シレジア。オーデル川流域帯）、そしてチェコスロバキア（現代はチェコ）との関係でズデーテン地方が問題になります。それぞれ、ドイツとの関係では長く複雑な歴史をもつ地域です。

第二次世界大戦後のドイツ処理に関するポツダム会談で、かつてヒトラーがいった「ドイツ人の居住する場所はすべてドイツ領である」という言葉が出席者の脳裏によみがえりました。そこで、ドイツがふたたび東方侵略を行なう口実を与えないため、当該地域からドイツ人の一掃《いっそう》を図ったのです。しかし、ドイツ人がいなくなればすべて片がつくというほどに問題は簡単ではありません。冒頭に書きましたが、そのドイツ人はナチスの侵略によって移住したわけではなく、その地で長年生活してきた人々でした。彼らは、それぞれの土地の経済で指導的役割を果たしてきており、ドイツ人がいなくなってしまった後の地域経済に打撃を与えることが予想されたのです。また、土地の人々にとっても、長らくドイツ人と協調してきた歴史があり、シュレジエンのポーランド人のなかには、ドイツへの併合を望む者が皆無だったというわけでもありませんでした。

戦後長く、ナチス＝ドイツが犯した戦争犯罪に対するドイツ人の贖罪《しょくざい》の気持ちが強かったため、冷戦期間中はこのような「帰国ドイツ人」の声は、一部政党をのぞいて政治には反映されていませんでした。しかし20世紀後半に東欧革命が進み、ソ連崩壊後には、この民間人への仕打ちは逆ホロコーストであったという声も出てきます。またチェコやポーランドでも、戦後のドイツ人に対する虐殺や民族浄化の名による暴行、報復的犯罪を批判する声も少数ながら出てきています。

しかし、悲惨な経験をしたのがドイツ人のみであると考えるのも問題です。戦争中、強制徴用されてドイツ国内で働いていた外国人労働者が1000万人ともいわれます。この時期、ドイツを中心とする「人間の移動」は簡単に評価できる問題ではありません。

カリーニングラードか、ケーニヒスベルクか

バルト海の南岸、リトアニアとポーランドに囲まれて「ロシアの飛び地」が存在します。この地域の歴史にも複雑なものがあります。そこは第二次世界大戦終結の段階までは、中世以来の歴史をもつドイツ領でした。戦後この地はロシア（その段階ではソ連）に割譲され、ドイツ領時代とは別の新しい問題が出てきています。と

いうのは「飛び地」であるため、ロシアとは直接地続きで連なっているわけではありません。もしこの地域で緊張が生まれたとき、ロシアが、ポーランドやリトアニアに領土内の通行権だけでなく一部の土地の割譲を要求しないとも限りません。また両国共に、かつてロシアによって支配された歴史があります。２０１４年にクリミア半島をロシアが併合した事件は、この地域の人々にとって切実な意味をもつことになりました。

現代の、ポーランドのバルト海岸沿いからロシアの「飛び地」にかけては、プロイセン地方といいます。名前の由来は、かつてこの地に居住していたプロイセン人たちです。その歴史は10世紀頃から明らかになり、11世紀になるとポーランド王がこの地域のキリスト教化を図りました（Chapter10参照）。しかし、プロイセン人は抵抗し、13世紀まで独立政権を維持しました。ポーランド王はドイツ騎士団を招き、プロイセン人討伐を要請します。騎士団は同世紀後半にプロイセン人政権を滅ぼし、その地域の支配権を確立したのです。

ケーニヒスベルクなどの都市はこの間に建設されました。ドイツ農民の「植民」が始まり、有輪犂《ゆうりんすき》などもこの地域にもたらされ、生産力が上昇すると、穀物を求め

17世紀半ばのドイツ周辺

てハンザ商人（13世紀以降発展し、中世期に北海・バルト海一帯を制圧した商人による都市同盟）たちもさかんに来航します。抵抗を続けたプロイセン人も、結局は農奴化されていきました。

ハンザ商人と結んだドイツ騎士団のこの地域での支配は専横が目立ち、貴族や都市の市民、それにポーランドが反抗し、1410年に行なわれたタンネンベルクの戦いでドイツ騎士団が敗れました。その結果、西プロイセン地方はポーランドに割譲され、東プロイセンはこの段階で、ドイツの飛び地になったのです。

16世紀初め、ドイツ騎士団長にホーエンツォレルン家の流れをくむアルプレヒ

ます。

採用してローマとの関係を断ち、騎士団とその領地を世俗化、プロイセン王国とし

トが就任しました。当時ドイツでは宗教改革が始まっていました。彼はルター派を

ち、騎士団

17世紀になってブランデンブルク選帝侯がこの地を継承し、ブランデンブルク＝プロイセンと呼ばれるようになります。さらに1701年、スペイン継承戦争に際し、この国は王号が認められ、プロイセン王国が誕生します。ここにフリードリッヒ大王が出るのは、その40年後です。国号には「プロイセン」を使うものの、国家の中心はブランデンブルク（現在のドイツ北東部からポーランド西部にまたがる地方）にありました。

プロイセンの国号を残したのは、この地域が神聖ローマ帝国に属していなかったためです。神聖ローマ帝国の滅亡後、このプロイセンこそがドイツを代表するようになっていくのは、たまたま歴史的偶然の結果だったといわれます。なお、西プロイセン地方は18世紀末のポーランド分割の結果、プロイセンが併合します。これは、タンネンベルクの戦いの敗北以前のプロイセン領が復活したということもできます。ドイツ観念論哲学の重鎮カントがこの地で思索に励《はげ》んだのは、この時代です。

第一次世界大戦後、西プロイセンがポーランド領になったため、東プロイセン地域はふたたびドイツの飛び地になりました。第二次世界大戦後、ソ連が併合し、ケーニヒスベルクはカリーニングラードと改められました。ソ連崩壊後、この地をケーニヒスベルクに戻そうという運動があるのは、そのような長いドイツ人の歴史があるからにほかなりません。

18世紀、シュレジエンはプロイセンの支配を歓迎した

大学入試問題で「オーデル＝ナイセ線」というのを見たのは1980年頃だったような記憶があります。これは今日、ドイツとポーランドの国境線をなしている2本の河川のことです。設問では、これが両国の国境になっていることを指摘し、関連する歴史的経緯の説明が要求されていました。なお、オーデルはドイツ語読みで、ポーランド語ではオドラ、同じくナイセはニサになります。

もう一つ関連する重要地域がシュレジエン（正確にはシュレージエン）です。語源は、ゲルマンのヴァンダル族の一部族、Silingenに由来するといいます。ドイツ語でシュレジエン、英語ではシレジア、ポーランド語ではシロンスクです。

この地域は1740年に始まったオーストリア継承戦争で、プロイセンがオーストリアから奪った地として有名です。この地域を領有する国家はしばしば交代します。第二次世界大戦後、いわゆる「オーデル＝ナイセ線」がポーランドと東ドイツとの国境になり、ポーランドは西方に領土を拡大しました。このオーデル川の上流域がオーバー＝シュレジエン（参考までに、オーバーに対し、下流域はニーダー）です。ここは鉱物資源も豊かなところで、ドイツ人がたくさん居住していました。

この地域は、もともとはポーランド領ですが、ポーランド国内の勢力争いのため、神聖ローマ帝国が介入し、シュレジエンはポーランドと神聖ローマ帝国の角逐《かくちく》の場ともなったのです。13世紀にはモンゴル軍が来襲し（Chapter 9参照）、この地域は荒廃します。そのため、ポーランド内にもドイツ人を誘致する声が高まりました。

14世紀中頃のボヘミア王で神聖ローマ皇帝にもなったカール4世（ボヘミア王としてはカレル1世）は、ポーランド王からこの地域の領有権を獲得しました。この結果ドイツ人の移住も多くなり、さらにポーランド人のドイツ人との同化もあって、ドイツ人の人口は増えていきます。16世紀には、オーストリアのハプスブルク家がこの地域の領有権を得るに至ります。

18世紀、オーストリア継承戦争の結果、プロイセンがシュレジエンを獲得しました。プロイセン支配下のシュレジエンでは、ドイツ化がさらに強制されます。このとき、この地域にいたプロテスタントたちはプロイセンによる領有を喜び、ドイツ人による支配は、さらに長いものになっていきます。この地域ではドイツ語を話す者よりポーランド語を話す者のほうが多かったのですが、20世紀になってもまだ十分に国民意識が形成されておらず、そのような問題はあまり盛り上がらない状態が続いていました。

第一次世界大戦後、シュレジエン地方はドイツ領にとどまりました。ポーランドは海への出口を確保できなかったことへの対応策として、ドイツ領であったダンツィヒ（ポーランド語ではグダニスク）を自由都市とし、ポーランドにそこの港の使用権を与えるという措置がとられました。ポーランドに割譲された西プロイセン地方が「ポーランド回廊」といわれるのは、ダンツィヒへの経路になったからです。

くり返しになりますが、カリーニングラードと同様に、第二次世界大戦後、シュレジエン地方のポーランド人にも、ドイツとの合同を期待する者が多かった理由の一つは、このような長い歴史があるからといえます。

チェコ（ボヘミア）とズデーテン地方を争う

ズデーテン地方が歴史的に有名になったのは、1938年のミュンヘン会談からではないでしょうか。ナチス＝ドイツの周辺地域への拡大の野望が大きくなり始めた頃、ときのイギリス首相のネヴィル＝チェンバレンが、対ドイツ「宥和《ゆうわ》政策」を採用、チェコの代表を呼ばないままにミュンヘン会談を開き、ドイツにズデーテン地方の割譲を認めました。チェコの周辺を取り囲んでいるこの地域は、チェコ、かつてのボヘミアが神聖ローマ帝国の一領邦であったことも絡んで、少し面倒な歴史が存在します。

なお、1992年までチェコスロバキアという国家がありました。利害の異なるチェコ人とスロバキア人が一つの国家を維持していくのは難しかったようで分離したのですが、古くはチェコはボヘミア、スロバキアはスロバキア、そしてその中間のチェコ東部をモラビアと呼びました。ここではボヘミアだけを問題にします。

ボヘミアにはスラブ系民族チェック人が居住しており、彼らは9世紀に大モラビア王国を建国しました。その後ルクセンブルク家がこの地域を支配したため、チェック人の王朝は途絶えました。13世紀になるとドイツ人の東方植民が本格化し、この地方にもたくさんのドイツ人が移住してきます。14世紀になると、ボヘミアは神聖ローマ帝国内の独立国家となり、さらに皇帝になったルクセンブルク家のカール4世（ボヘミア王としてはカレル1世）のもとで最高の繁栄を遂げました。

15世紀半ばにルクセンブルク家が断絶すると、オーストリア・ハプスブルク家の進出が積極的になっていきます。それに反対してチェック人の民族意識も高まっていきました。15世紀のフス戦争はその始まりともいえる事件です。また、16世紀に始まった宗教改革の混乱のなかで、国王顧問官がプラハ城の窓から投擲《とうてき》された事件（1618年）を機に、三十年戦争が始まったのは有名です。チェック人は敗れ、ボヘミアはハプスブルク家の支配下に置かれたままになります。

19世紀に、ドイツ内で国家統一への動きが高まるなか、オーストリアとプロイセンが統一の主導権を巡って戦いました。プロイセン＝オーストリア戦争でオーストリアが敗れた翌年の1867年、ハンガリーやボヘミアでも独立への機運が高まりました。多くの民族を支配下にもつオーストリアは、そのナショナリズムを抑圧します。このときハンガリー人貴族と妥協（アウスグライヒ）して、オーストリア＝

ハンガリー二重帝国が成立しました。これによってロシアやプロイセンに対抗します。経済力をもつチェック人にも呼びかけ、三重帝国への道も模索されたのですが、ハンガリー人とボヘミアのドイツ人の対立などもありこの動きは失敗に終わりました。

第一次世界大戦でオーストリアが敗北すると、チェック人とスロバキア人はチェコスロバキアとして独立を果たしました。このときズデーテンはチェコが領有したままであったため、台頭するナチスがそこを要求し、先に示したミュンヘン会談になったのです。第二次世界大戦中、チェコスロバキアは実質的に解体され滅亡しました。戦後に独立を果たしたものの、チェック人とスロバキア人の対立から1993年に分離しました。

日本とは異なる複雑な国境問題をもつ

日本は島国です。そのため、隣国との国境問題はいくつかの島々に限られています。しかし、ドイツが絡む周辺国家との国境線は、違った意味で複雑になります。カリーニングラードでもロシアの支配が70年にもなり、そこにロシア人が住み着いてしまうと、ことは簡単ではなくなります。

民族的な対立を続けるのは、為政者にとってそれなりに便利な場合もあるでしょうが、生産的なことではありません。ドイツ・ポーランド・チェコ国境地帯の民族問題のなかから、何か建設的な方針は出てこないものでしょうか。

Chapter 12

欧州エリア
8～12世紀

ヴァイキングとノルマン人の進出

概論

ノルマン人はゲルマン人の一派で「北部ゲルマン」、要するに「北の人」の意味になります。彼らはバルト海の北部やスカンディナビア半島、ユトランド半島に居住していたのですが、いわゆる「ゲルマン人の大移動」が一段落した9世紀頃から動きを開始しました。一部をのぞいて陸上を移動したほかのゲルマン人に対して、彼らの移動は海上、あるいは河川など水運を利用したところに特色があります。彼らの動きをややくわしく見ていきますと、ほかのゲルマン人が国家を建設したその周辺にあって、それらの国家と密接な関係をもちながら、西ヨーロッパ世界の秩序形成に側面から重要な貢献をしています。また、ロシア国家形成のきっかけもつくっています。さらに北欧諸国は、現代までロシアとは緊張をはらんだ関係を続けています。

ノルマン人が中世ヨーロッパを取り囲んだ

人々はなぜ故地を離れてほかの地域に移住するのでしょう。人口増、自然災害、食料不足、治安の悪化、病気の流行、異民族の侵入、そのほかにもいろいろな原因・要因が指摘されています。もちろん複合的なものもあります。ノルマン人の場合、陸上の道ではなく海や河川を利用したことが注目されるでしょう。「ヴァイキング」と書かないでノルマン人と書きましたが、この違いは後述します。ここでは移動の原因よりも、彼らの移動と西ヨーロッパ史との関わりを中心に考えていきます。

一口にノルマン人といいますが、今日の国家でいうとノルウェー、デンマーク、スウェーデン、つまりスカンディナビア半島やユトランド半島の住民のことを指し、それぞれノール人、デーン人、スヴェーア人と呼びます。当時の西ヨーロッパ人の感覚で、この地域はまさに「北方」であり、まだ国家を建設しておらず、キリスト教を信仰していない人々は蛮族でした。突然、海上から現れ、略奪して引き上げていくノルマン人は、海賊そのものであり、ヴァイキングはその異名になったのも当然のことでした。ちなみにヴァイキング（Viking）の語源も諸説あるのですが、一般的には「湾（vik）」と「人（ing）」が合成されてできたという説が有力なようです。

ノルマン人とヴァイキングは同じものと考えるのがふつうですが、北欧の歴史の常識ではヴァイキング時代とは8世紀半ばから11世紀の半ば（800〜1000年頃とする説もあります）までの時代を指し、それ以降がノルマン人の時代となり、彼らも国家建設を行なうようになるのです。ヴァイキングには、海賊・略奪というイメージが付いてまわるのですが、実際そのとおりであり、ヨーロッパでの記録は、彼らとの平和的な関係より、恐怖と略奪から始まっています。

その一番古いものは、793年、イギリス東北部のリンディスファーン修道院が襲われた記録になります。修道院が襲われたのを強調することで、ヴァイキングの襲撃は反キリスト教の立場からのものではないかという説も出ているようです。

800年は、フランク王国のカールが「（西）ローマ皇帝」の冠を戴く年です。ヨーロッパではその後も混乱が長く続きます。その混乱のなかの、さらなる混乱の要因がヴァイキングの襲撃になりうるわけです。それに対応するためにヨーロッパで「封建制」などの政治秩序が形成されていったことを考えると、ヴァイキングの果たした役割にも注目しなければなりません。

先に書いておきますが、ノール人はスコットランドからアイスランド、グリーンランド、さらには北米大陸にまで向かいました。デーン人はおもに北海、バルト海、さらに大西洋岸を回って地中海に入ります。スヴェーア人はバルト海の奥からロシアに上陸、南下して黒海に向かいます。中世ヨーロッパは、ノルマン人に取り囲まれていたともいえるのです。

ヴァイキング船についても簡単に紹介しておきます。船長は30メートルくらいで、40人ほどが乗り込み、30～40のオールが付いていました。吃水《きっすい》が浅いため河川でも航行できました。50～60艘《そう》で船団をつくり、攻撃したようです。スピードは順風で時速10カイリ（18キロメートルくらい）といいます。

デーン人によってイギリス王家が開かれる

8世紀後半にデーン人が行なったドイツからフランスの北部海岸地方への進出はまず、ハンブルクへの襲撃から始まりました。ライン川河口でフランク軍に敗れ、ドイツ方面への進出を断念し、フランス方面に向かいますが、同時にイギリスも攻撃目標になりました。ロンドンへの侵攻は10世紀の末になります。

ゲルマン人の移動によってイギリスにはアングル族やサクソン族が侵入しましたが、彼らが5世紀以降に建てた諸国家をまとめて「ヘプターキー」といいます。この意味は「七つの王国」ですが、実際には、ウェセックスやマーシアを頂点に、先住のブリトン人の国を含め、もっとたくさんの国がありました。それらがだんだんと併合され、9世紀の初め、ウェセックスの王エグバートが統一します。

このようなイギリスに、8世紀末以降ヴァイキングが侵入してきます。そこでヴァイキングに抵抗し、ウェセックスの独立を守ったのがエグバートです。彼は一時フランク王国のカール大帝の下に身を寄せていたのですが、帰国後、マーシア王国を破りイギリス南部を統一しました（在位802〜839）。のちのウェセックス王アルフレッド大王（在位871〜899）時代にもヴァイキングが侵入し、両者の間には激しい戦いも行なわれましたが、イングランド東部に住み着いていくヴァイキングもたくさんいました。その地域にはアングル族やサクソン族の法体系が行き渡っていないこともあり、デーン人の法が適用されていました。イングランド東部が「デーンロウ」といわれるのはそれに由来しています。

アルフレッド大王が亡くなって10世紀に入ると、「七つの王国」の一つマーシア

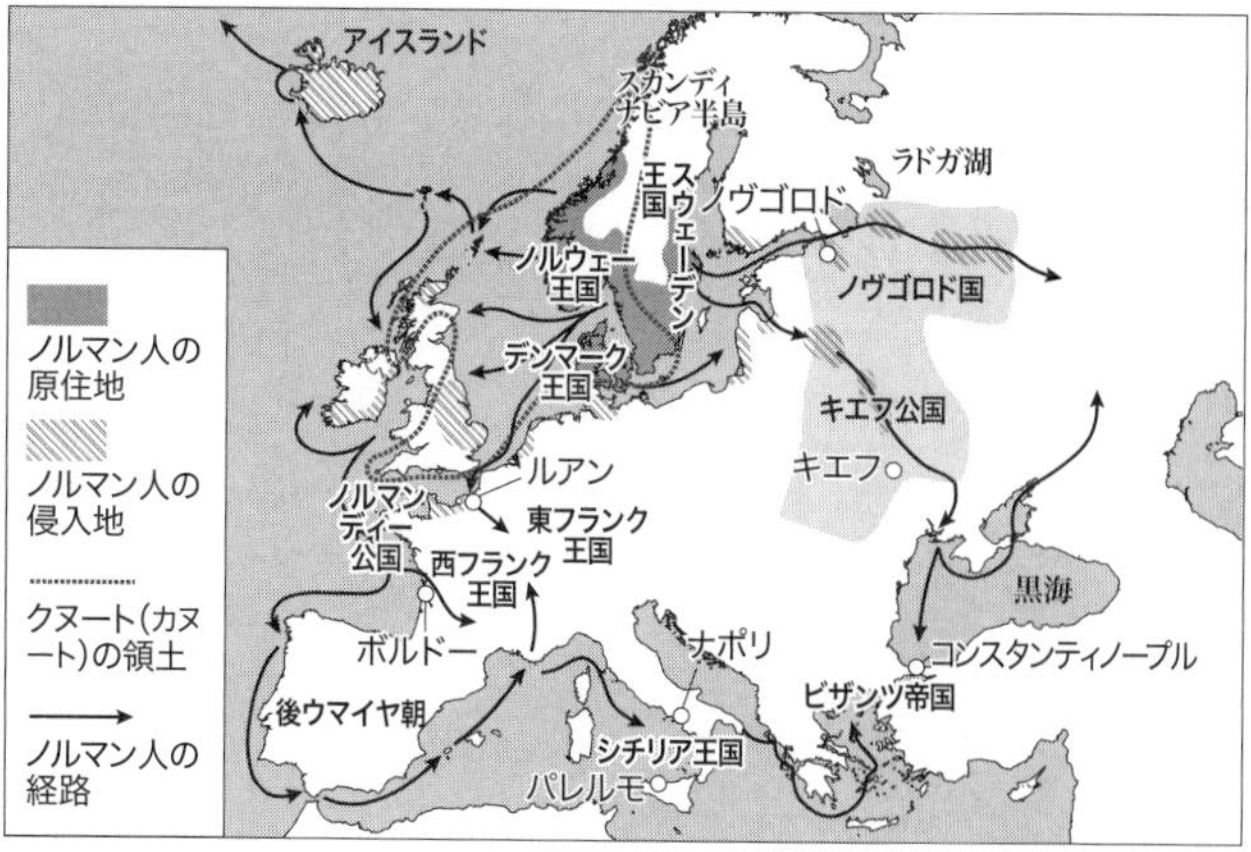

9世紀前半のヨーロッパ

が復活してきます。デーン人の侵入も続いていたのですがアルフレッド大王の長男エドワード（在位899～924）が活躍し、さらにその長男アゼルスタンは初めてイングランドを統一する偉業を成し遂げました。しかしながらデーン人の侵入は続きます。

1016年、デーン人の王クヌート（カヌート）がイギリスを占領しました。彼はイギリスを五つの伯《はく》領に分け、伯として任命した有力貴族に大きな権限を与えました。このためイギリスに久しぶりの安定期が訪れました。クヌート王の死後、彼の信任の厚かったゴドウィン、さらにその息子ハロルドが大きな力を付けてきます。

ところでウェセックスには正当な国王のエドワード（在位1042～66）がいたのですが、彼はフランスのノルマンディー公国で亡命生活を送っていました。そのエドワードが1066年、嫡子《ちゃくし》がいないままに死ぬと、イングランド王位を狙っていたハロルドの野望を抑えるため、ノルマンディー公ウィリアムがイギリスを攻撃し、ハロルドを破ってノルマン朝を開くのです。

フランス王から封地を得て、ノルマンディー公国が成立する

中世のイギリスと、フランスの歴史を結んだのはデーン人です。さらにノルマン人の首長ロロに与えられた北フランス、ノルマンディー地方が1337年から始まる「百年戦争」の原因をつくったともいえる重要な場所になります。

ロロは、ノルウェーの暴れ者といってもいい存在でした。その当時のノルウェーの歴史は真偽のはっきりしないことも多いのですが、ハーラル王（在位872頃～940頃）によって統一されたといいます。実際は海賊行為をやめて交易を中心にするため、有力者によって擁立されたともいわれるのですが、そんな状況でロロは、

ノルウェー国内で略奪行為をしてしまったのです。

当時、ヴァイキング間では国内での略奪は禁止されていたため、ロロはハーラル王によって追放されます（仲間との戦いに敗れてという説もあります）。このためスコットランド沿岸などで略奪していたのですが、彼の下に集まる部下が多くなり、この勢いで北フランスに進出してルアンを拠点に周辺を略奪するようになりました。そして東フランク王国のシャルル3世とサン＝クレール＝シュール＝エプト条約を結び、北フランスの諸侯に封じられ、911年にノルマンディー公国が成立するのです。

ロロから始まり、その後継者たちは周辺に領土を広げ、「辺境伯」（一般には、異民族と接しているというので、ふつうの伯より地位が高く、特権も大きな諸侯）の地位まで認められました。11世紀の半ばに出たウィリアム（フランス語ではギヨーム）は、イェルサレム巡礼中に亡くなった父親を継承しノルマンディー公になりました。このウィリアムにとって重大な問題となったのがイングランドの王位継承問題です。彼は子どものいないエドワードから継承権を認められていたとして、王位を要求しますが、ハロルドたちは反対します。

エドワードの母親のエマはウィリアムの大叔母にあたり、またウィリアムが結婚したフランドル伯の娘マティルダはアルフレッド大王の子孫であり、継承権を主張する根拠はそろっていました。1066年、ドーバー海峡を渡り、ヘースティングズの戦いでハロルドを破ったウィリアムは、イギリスにノルマン朝を開きました。これがイギリスの本格的国家の始まりとされるのですが、イギリス王家はデーン人（ノルマン人）によって始まったことになります。ちなみに、ウィリアムは、大陸の封建制を国王中心の形でイギリスへ導入しただけでなく、その基礎となる土地調査を行なって、中央集権的な支配体制を確立しました。

この土地の調査で作られたのが「ドゥームズデイ・ブック」です。「最後の審判」という意味なのですが、調査された各地の有力者にとっては税を徴収するための厳しい調査だったため、まさしくこの世の終わりというような気持ちになったことでしょう。

このノルマンディー公国の住民は、祖先が行なったように各地に進出して略奪行為を始めます。その勇猛さから傭兵《ようへい》になって各地の有力者に仕えるのですが、そのなかで名高いのが南イタリアに移住したノルマン人たちでした。

中世シチリア王国とアンティオキア公国

5世紀後半の西ローマ帝国の滅亡以降、イタリア半島では、ゲルマン人（東ゴート族やランゴバルド族）の侵入、東ローマ帝国の干渉、さらにアラブ＝イスラム勢力の進出などによって混乱が続いていました。半島中央部にはローマがあり、10世紀以降になると神聖ローマ帝国もこの地の支配権を強めてきます。イタリア半島にノルマン人がやってきた理由ははっきりしないのですが、ローマやイェルサレムへの巡礼が契機になり、そのような交流のなかで、求めに応じて傭兵として進出してきたというのが実際だったのでしょう。故郷ノルマンディーに、期待できる広い土地がなかったことも原因の一つと考えられます。彼らのなかには、功績によって土地を与えられる者も出てきますが、これが目的だったともいえます。

ルッジェーロ2世は、1130年、南イタリア（ナポリ王国）とシチリア王国を併せて両シチリア王国を建てました。「両シチリア」の名称は19世紀に使うのが正式なのですが、中世には、ナポリ・シチリア両国共に「シチリア」を称したため、このような使い方をします。ルッジェーロ2世は、ノルマンディー地方の小村出身のオートヴィル家ロベル＝ギスカールの甥にあたります。

ロベル＝ギスカールは、叙任《じょにん》権闘争で皇帝ハインリッヒ4世に追われた教皇グレゴリウス7世を救援したことで知られます。ロベル＝ギスカールとルッジェーロ2世は伯父と甥の関係になるのですが、ルッジェーロ2世の父親がルッジェーロ1世で、ロベル＝ギスカールの弟です。そのロベル＝ギスカールの息子で、ルッジェーロ2世の従弟になるボーエモンは第1回十字軍に参加して、シリアの北部にアンティオキア公国を建てました。ノルマン人は中東の地まで進出したことになります。なお、ルッジェーロ2世は第2回十字軍に乗じてギリシアを攻撃しましたが、これは失敗に終わりました。

ボーエモンはアンティオキア公国を、イェルサレム王国以上の大国にしようともくろんでいたようです。実際、彼はイェルサレム攻撃には参加せず、アンティオキアに矛先を向けていたのです。アンティオキアは、ローマ時代、キリスト教の5大本山が置かれたほどの大都市でしたが、自然災害で荒廃し、東ローマ帝国がイスラム勢力に敗れて以降は衰退した地方都市になっていました。ボーエモンは往時の繁栄の再現を夢見たのかもしれません。しかし、その後のボーエモンの活躍はさえず、甥のタンクレードがアンティオキア公国の主導権を握りました。周辺の都市を併合し、強勢を誇った時期もあったのですが、イスラム側の反撃も厳しくなり、最終的には13世紀半ば、モンゴルによって滅ぼされます。

ロシア国家の原点・キエフ公国が建てられる

ロシアとノルマン人の関係と聞いても、ピンとくる人は少ないでしょう。ノルマン人は、8世紀にはフィンランド湾の奥、ラドガ湖を拠点に、現在のロシア北西部（中心都市ノヴゴロド）からベラルーシ、ウクライナ（同キーウ）を経由して、バルト海の奥から黒海、東ローマ帝国（コンスタンティノープル）に至るルートも開拓していました。ここではドニエプル川などの河川を利用し、それができないときは船を人力で運びました。また、ラドガ湖から南東方向に進み、ヴォルガ川からカスピ海に至るルートも拓いていきました。

このルートで問題になるのがノヴゴロドとキーウ（キエフ）です。ノヴゴロドは古い歴史をもつ都市ですが、9世紀中頃より、スウェーデン系のノルマン人（ヴァリャーグ人）のリューリック（?～879）が、土地の人たちに招かれて拠点にします。

彼の部下はコンスタンティノープルまで遠征したのですが、このとき、ハザル＝カン国の支配下にあったキーウを見てその豊かさに驚き、ここを占領しました。リューリックの死後、その部下オレーグがキーウの新しい支配者になります。オレーグはのちに北に帰ったとされるのですが、ここにキエフ公国が成立しました。

ロシアのノルマン人は、ノルマンディーのノルマン人と比べて圧倒的に数が少なかったため、ロシア国家の支配者になることはなく、ロシア人に同化されていきました。しかし、ロシア国家の原点がノルマン人にあったことは確かなようで、ここでもノルマン人は重要な役割を果たしていたことになります。

「ヨーロッパ世界」形成の総仕上げ

ノルマン人の移動は、ゲルマン人の移動ののち、ヨーロッパ世界の形成について「最終的仕上げ」をやったというのはいいすぎでしょうか。とくに、ノルマンディー公国の存在はイギリスとフランスの関係を複雑なものにはしましたが、最終的には両国を主権国家にしていく大きな契機をつくったと見ることができます。ドイツの場合、ノルマン人に直接的な関わりをもたなかったのですが、のちにドイツ商人やドイツ騎士団がバルト海や東ヨーロッパ世界に拡大していくのは、ヴァイキング時代に対する反動と見ることもできなくはありません。そんななかでノルマン人も、対外的拡大と移動を続けるよりも、みずからの国家を建設するようになります。

Chapter 13

北アジアエリア
9〜20世紀

多民族国家ロシア(ソ連)の形成

概論

北方領土問題や第二次世界大戦後の日本人捕虜のシベリア抑留問題などが絡み、ロシアと日本の関係は今なおすっきりしていません。ロシアに限らず、近隣国家とは何かと問題を抱えるものです。日本とロシアの間では、北方4島を巡り対立が続いています。他方、ロシアがクリミア半島の併合を強引に行ない、2022年にはウクライナ侵攻も勃発して緊張は高まるばかりです。ロシアがヨーロッパにおいて、大きな存在感をもつようになったのは18世紀の後半からです。スラブ系民族の雄《ゆう》ともいえるロシア人は、どのような国家をつくろうとしているのでしょう。ソ連時代、民族問題は克服されたという意見がありました。そのソ連が崩壊した今、ロシアの民族問題は、さらに激しく燃え上がることになるのでしょうか。

ノルマン人が建てたキエフ＝ルーシ国が起源

ロシアに限ったことではないのですが、その成立から巨大な領域をもっている国家はありません。アメリカ合衆国も独立戦争時は東海岸の13の植民地だけで、独立とともにミシシッピー川までが領土になりました（Chapter18参照）。古代中国で、統一以前の秦もその例外ではありません。ロシアも同様なのですが、ロシアの場合、領土の拡大に伴い、併合され支配下に置かれる民族が増えていきます。そして今なお、領土に対する欲求はなくなっておらず、ロシア人の動きも活発です。

そのロシアという国家の原点になる東スラブ系民族の原住地は大雑把にいって、西はノヴゴロド（サンクトペテルブルク南方）とキーウ（現在のウクライナの首都）を結ぶ線から、カスピ海に流れ込む東方のヴォルガ川までの間と考えれば大きくは外れません。この地域では東スラブに属する部族が、小さな国家ともいえるものをつくっていました。そこには狩猟や漁業、さらには蜂蜜《はちみつ》の採集に従事する人々がいたほか、農業や牧畜を生業《なりわい》にする人もあり、それを求める商人が訪れ、武器や農具の生産に携わる手工業者も集まってくるようになります。そのような小国家が相争うなかで、9世紀頃には北のノヴゴロドと南のキーウ（キエフ）が大きな都市として知られるようになりました。

ところで、このノヴゴロドとキーウは「ヴァリャーグの道」といわれる交易ルート上にあります。この交易ルートはヴァリャーグ人、つまりノルマン人が、北ヨーロッパと東ローマ帝国を結ぶ商業活動を行なっていたことで知られます（Chapter12参照）。このノルマン人の存在が、ロシア国家成立に関する少し面倒な問題を提供することになります。

というのは、ノヴゴロド周辺の勢力が、混乱している社会の安定のために「ヴァリャーグ」に人材の派遣を要請したのです。この要請に応じたのがロシアの建国者リューリック（?～879）で、彼はノヴゴロドを拠点に諸部族をまとめました。その息子の後見者になるオレーグがキーウまでを統一して、キエフ＝ルーシ国リューリック朝を建てました。要するに、ロシアはノルマン人の力でまとめられたということになるのです。これはロシアにとっておもしろい説ではありません。ただし、ノルマン人の数はロシア人に比べると圧倒的に少なく、ロシア人に同化されてしまっています。

ノヴゴロドは経済的繁栄を基盤に「都市共和国」として、西ヨーロッパの中世都市のような自由を享受《きょうじゅ》しました。そしてキーウはロシアの政治の中心になっていきました。10世紀末には東ローマ皇帝との関係を密にし、キリスト教も受容しました。しかしながら、キエフ公国は周辺の遊牧民との戦いが続き、やがて分裂していきます。モンゴルに敗れ、その支配を受け入れたのは13世紀前半のことです。

もう一つ、問題になるのが「ルーシ」という名前です。現在のロシアの元になるのですが、ロシアが国名として使われるようになるのは18世紀からのことで、それまではルーシでした。この「ルーシ」という名前は「舟をこぐ人」の意味をもつノルマン人の言葉が語源であるとするのが有力なのです。これに反対して、ドニエプル川の支流の一つのルーシ川から始まったという説もあります。

そのルーシはキエフ＝ルーシの時代、キエフ大公の下でゆるやかな統一が実現していました。10世紀頃のキリスト教の流入によって、人々の意識のなかにもキリスト教にそれを求める民族的同一性（アイデンティティー）のようなものが芽生えてきました。

ルーシがキプチャク＝ハン国（ジョチ＝ウルス）に含まれる

13世紀初め、モンゴル高原をまとめたチンギス＝ハンは西方にも拡大し、南ロシアへと侵攻します。このためキエフ＝ルーシは力を失っていきます。チンギス＝ハンは長子のジョチにイルティシュ川（ロシアの中央部を北海に向けて流れる川）流域の土地を与えましたが、モンゴルはそこからさらに西方に拡大し、キプチャク平原を中心に南ロシアを支配下に置きます。西方はドニエプル川以西までを版図にして成立するのがキプチャク＝ハン国です。国家の創設者はジョチの第2子で、バトゥになります。最近は「ハン国」に関する研究が進み、この国のことをジョチ＝ウルス（ウルスは「所領」の意味）と呼ぶことが多くなっています。

実際のキプチャク＝ハン国は大きく東西に割れていました。ジョチの第1子のオルダがキプチャク草原の東部を、第2子で宗主になったバトゥがウクライナなどの西部を支配しました。また、バトゥはヨーロッパ遠征軍の総司令官となって、1241年、ワールシュタット（リーグニッツ）の戦いで勝利しました。バトゥはヴォルガ川河畔にサライを建設します。ただし、彼はそこに定住するのではなくオルド（い

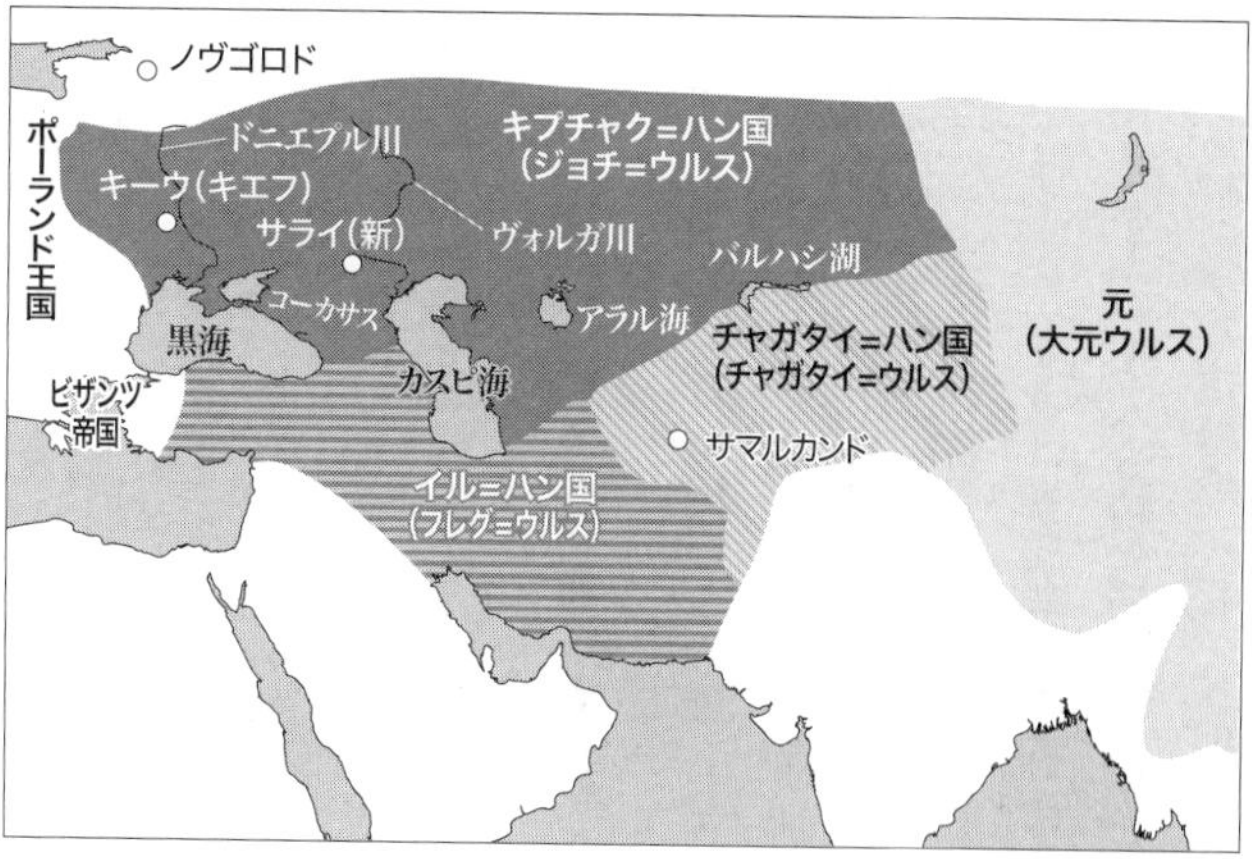

モンゴル帝国の領域

わば「移動する宮殿」）で各地を移動していました。その支配はコーカサスの北方からウクライナ草原、北方の森林地帯におよび、ルーシもそのなかに含まれていたのです。

ロシア人たちは、モンゴルのことをタタールと呼びました。モンゴル支配の200年余りを「タタールのくびき」と宣伝するのは19世紀になってからのことで、その間にモンゴルから受けた影響についてはネガティブ・ポジティブ両面から語られます。

モンゴルに支配されたロシア人は、その力を見せつけられ、それまでの分裂状態から脱して強力なロシアを建設していくきっかけにしました。モスクワ大公国は、ジョチ＝ウルスの後継国家であるというのがポジティブな立場になります。ネガティブな見方は、モンゴルによるロシア社会の停滞を指摘するものです。都市が破壊され、経済活動が低迷を余儀なくされただけでなく、市民文化ともいえるものの発展が阻害されることにもなったというのです。1480年に「くびき」からは解放されましたが、以後もモンゴルの脅威は去らず、軍事的負担が発展を遅らせたとされます。

17世紀、ロマノフ朝によるシベリア制圧

キプチャク＝ハン国からの独立を果たしたモスクワ大公国は、イワン3世（在位1462〜1505）、イワン4世（在位1533〜84）時代に体制を固めます。イワン3世は、東ローマ帝国との姻戚《いんせき》関係を利用し、「モスクワは第3のローマ」として、ツァーリの称号も使うようになり権威を高めました。さらに、雷帝《らいてい》のあだ名があるイワン4世は貴族勢力を抑えながら中央集権化を強行しました。このイワン4世は領土の拡大も精力的に行ないます。最初にカザン＝ハン国（キプチャク＝ハン国を後継する国家の一つ）を征服、さらにその南方のアストラハン＝ハン国も併

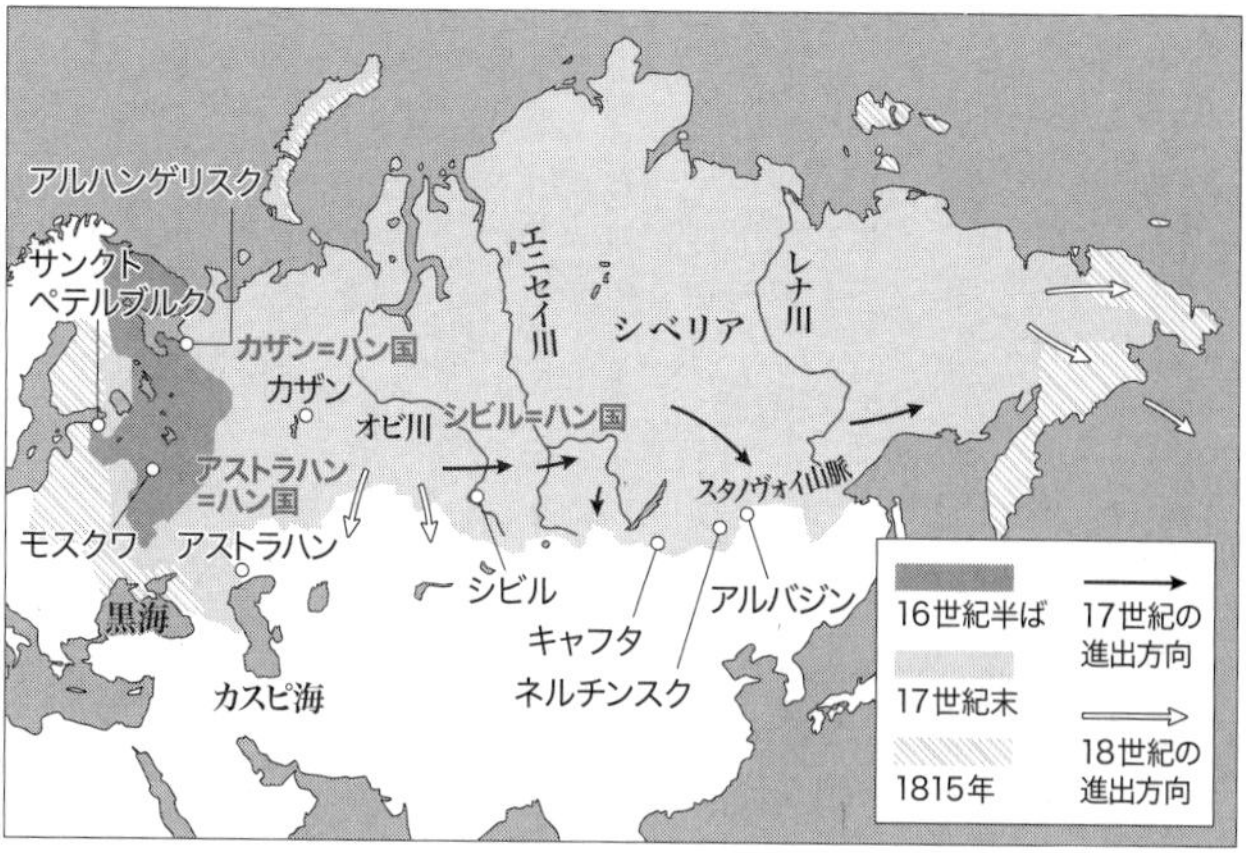

ロシアの領土拡大

合します。イェルマークに命じて東方に遠征させ、ウラル山脈東方にあったシビル＝ハン国も併合しました。シベリアの名前はこのシビル＝ハン国に由来します。

しかし、バルト海進出を目指したリヴォニア戦争には敗北しました。さらにこのような混乱がイワン4世の圧政への不満ともなって現れ、彼の死後、ロシアは大混乱に陥りました。

その混乱を収拾しながら、貴族たちの支持を集めたのがミハイル＝ロマノフで、1613年、ロマノフ朝が始まります。このロマノフ朝の下、ロシアはシベリアを短期間で制圧してしまいます。ロシアにとってシベリアは、西方に輸出するための最重要商品であった毛皮の宝庫でした。森林地帯も広がっていますが、シベリアは比較的平坦であり、コサック兵たちはオビ川、エニセイ川、レナ川などの河川、その支流を利用して東方に進みました。17世紀の半ばにはベーリング海に至っています。この間、抵抗する勢力もありましたが、それらは抑圧され、シベリアの住民たちはロシア帝国の支配下に組み入れられていきました。

このようなとき、中国も清朝（後金《こうきん》としての建国は1616年、中国支配は1644年から）の下で中央アジア（新疆《しんきょう》と呼ばれるようになります）方面への拡大が進められていました。アムール川上流のロシアの前進基地アルバジンを巡って緊張が高まり衝突しますが、1689年にネルチンスク条約が締結されました。この結果、ロシアと清の国境はスタノヴォイ山脈（外興安嶺《そとこうあんれい》）とその東方のアルグン川になります。

その後、1727年にキャフタ条約が結ばれ、モンゴル高原地域の国境が確定されました。今日の国境になるのは1860年の北京条約によります。

18世紀以降の西方・南方進出では、戦争をくり返す

比較的簡単に進められた中央アジアやシベリア方面への拡大に対し、西方のバルト海や南方への拡大は、スウェーデンやオスマン帝国、オーストリアとの利害が対立、しばしば戦争になりました。ピョートル（在位1682〜1725）の即位前の段階では、ウクライナ地域はドニエプル川をほぼ境に東方はロシア領、西方はポーランド領に分割されていました。ピョートル大帝の領土拡大のための戦争は、1700年、バルト海への出口を求めてスウェーデンに北方戦争を仕掛けたことから始まります。この戦争中、スウェーデンのカール12世はウクライナのコサックと結ぼうとしたため、ロシアのウクライナへの締め付けは厳しく強化されました。北方戦争は21年の長期にわたり、ロシアは戦争中にサンクトペテルブルクを建設し、バルト海への出口を確保します。なお、それまでロシアのヨーロッパ方面への港は白海《はっかい》に流入するドヴィナ川河口のアルハンゲリスクだけで、スカンディナビア半島の北方を回っていました。サンクトペテルブルクのもつ意味の大きさがよく理解できます。

アゾフ海、さらには黒海への進出のきっかけをつかんだのは、1733年に始まるポーランド継承戦争です。さらに、18世紀後半、エカチェリーナ2世時代にはポーランド分割によって、ポーランド領であったウクライナを獲得（Chapter10参照）、また黒海北岸のキプチャク＝ハン国の継承国家クリム（クリミア）＝ハン国も併合しました。

18世紀末から始まるナポレオン戦争に際して、ルーマニア地方（当時はワラキア・モルドバ）を巡ってロシアとオスマン帝国は対立しました。このとき、ロシアはベッサラビア（現在のモルドバ共和国）を獲得しました。1821年から始まるギリシア独立戦争に際しても、ドナウ川河口の地やコーカサス南部地域（アルメニアなど Chapter6参照）を獲得します。しかし1853年から始まるクリミア戦争では敗北し、黒海周辺で得てきた利権を放棄しました。

19世紀はバルカン半島のスラブ系民族のナショナリズムが高まってきますが、ロシアはスラブ系民族として、それらを支援することを口実に南下政策を進めます。1877年のロシア＝トルコ戦争はセルビアなどの独立を実現させ、この地域におけるロシアの影響力を大きくしました。しかし列強はこれに介入し、ドイツのビスマルクが仲介したベルリン会議の結果、ロシアの南方での領土拡大は一区切りされたことになります。

「バビロン捕囚」以上の過酷さだったスターリンの民族政策

話は近現代になりますが、社会主義体制下のソ連でも民族問題が解決されたわけではありませんでした。否、民族という点から見れば、かつての新バビロニア王国がユダヤ人に対して行なった「バビロン捕囚」以上の政策が行なわれたといえます。

第二次世界大戦中の１９４３〜44年を中心に、ソ連の西部国境地帯では、北はエストニアから南はウクライナ、さらにはその南方のクリミア半島からコーカサス地方まで、それぞれの地方の民族が、ナチス＝ドイツに内通する恐れがあるとして、中央アジアからシベリア方面に強制移住させられたのです。その数、１５０万人を超えると推計されます。ヴォルガ地方のドイツ人40万人余りは、独ソが開戦した１９４１年に移住が始まりました。

いっぽう東方では、日中戦争の始まった１９３７年、日本に内通する恐れがあるとして朝鮮民族が中央アジアに移住させられています。もちろんこのほかにもスターリンによる強制移住はあるのですが、第二次世界大戦中の強制移住は、民族全体を「対敵協力民族」と決めつけ、断罪したものになります。移動中の民族に対する扱いは劣悪で、スターリンは民族絶滅を図っていたのではないかという評価も出てきます。

スターリンの死後、フルシチョフがスターリン批判を行なうとともにこの政策が誤りであったと認定されます。名誉回復が行なわれ、帰還が許されました。しかし帰還できたからといって問題はすべて解決するというものではありません。強制移住させられた後に、ロシア人をはじめ別の民族や集団が新たに移住しています。そこに定住した人々にとって、帰還者は自分たちの権利を侵《おか》す存在になりますし、また、帰還しない・できない民族を先住民族が襲うという事件も起こります。コーカサス地方のグルジア人などの反ロシア的動きも、スターリン時代の民族政策にその原因をさかのぼらせることができます。

国民国家が形成されるなかで、民族問題が過激化する

歴史的に見て、単一民族で構成される国家は存在しません。そもそも「民族」はしばしば移動しますし、移動の過程でほかの民族（集団）を支配下に組み入れることもあります。したがって多くの民族が共存・混在した社会がふつうなのですが、

19世紀以降、国民国家が形成されるなかで支配民族の意志や文化が強制されるようになります。

ロシア革命は、そのような悲惨な状況を解放するための政治行動であったはずなのですが、成立した体制はかならずしもその期待に応えてはくれませんでした。共産党という支配政党を正面に押し出し、それを守ることを口実に、個人による独裁という現実を隠蔽《いんぺい》したのです。その体制は崩壊しましたが、ロシア社会の問題が解決されてはいません。

東南アジアの宗教分布

仏教経典には、陸路より海路のほうが安心して旅ができるという記述が出てきます。もちろん、陸路も海路もそれなりの困難はつきまとうものですが、太平洋に乗り出した人間の英知をもってすれば、東南アジアの海域はさして難しいものでもなかったのかもしれません。東西を結ぶ交易ルートは中央アジアを経由する「絹の道」が有名ですが、海上交易路も発達しており、紀元1世紀にはローマと中国（漢帝国）が海路でも結ばれていました。それを仲介したのが、現在のカンボジアにあった扶南《ふなん》です。

人が動くことはモノが動くことです。そして、これに併せて「文化」も動きます。そのなかでも宗教、とくにこの地域のイスラム教に関しては驚くべきものがあるといってもいい過ぎではありません。イスラム教徒の東南アジア進出は古く、唐の時代の中国にイスラム寺院（清真寺《せいしんじ》）が建設されています。13世紀になると、インド南岸の港《こう》市《し》国家でイスラム教徒が支配者になることが多く見られるようになり、東南アジアでもイスラム教を受け入れる国家が出てきます。その最初がスマトラ島のアチェ王国です。さらに15世紀、マラッカ王国がイスラム教を採用したことは、東南アジア諸地域のイスラム拡大を加速させることになります。インド文化の影響が強かったインドネシアも、バリ島などの一部地域をのぞいてイスラム化が進行し、ブルネイ王国などが14世紀末に改宗しています。その東方のフィリピンは、太平洋を横断したマゼランの到達以降スペインの植民地になり、キリスト教が伝えられますが、その頃にはすでに南部にイスラム教が伝えられていたため、両者の対立は今日まで続いています。

イスラム教の拡大前は、インドで生まれた仏教やヒンドゥー教が強い影響力をもっていました。それはカンボジアのアンコール・ワット（12〜13世紀）やインドネシアのジャワ島のボロブドゥール（8〜9世紀）などに示されます。しかし、それらは為政者が自身の権威の象徴として建設させたという意味合いが否定できません。11世紀頃からセイロンを経由して上座部仏教がミャンマーやタイ、ラオスなどに流入しました。ヴェトナムなど、仏教に加え中国の道教の影響が大きいところもあります。

最近、ミャンマーのイスラム教徒であるロヒンギャへの迫害、あるいはインドネシアのイスラム教の過激化、フィリピンの政権とイスラム教徒との対立など、衝撃的な事件が続いています。ゆったりした時間が流れているように見える東南アジア諸地域でも、宗教的対立が顕在《けんざい》化しているのです。

Chapter 14

中南米エリア
15世紀後半〜20世紀

民族混交の世界 ラテンアメリカ

概論

15〜16世紀は世界史の新しい幕開けになりました。1453年、東方世界に向けた防波堤ともいえる東ローマ帝国が、オスマン帝国によって1000年以上の歴史に終止符を打たれました。いっぽうのイベリア半島では、1492年、イスラム勢力の最後の拠点ともいえるグラナダ王国がキリスト教徒によって奪還されます。16世紀のヨーロッパ諸国は、宗教改革に端《たん》を発した諸国の対立の時代になります。スペインとポルトガルが、ほかのヨーロッパ諸国に先駆けて「新世界」に拡大していけたのは、このような歴史状況を背景とするのです。そしてその新世界には、黒人奴隷の導入から始まり、多くの人々が移住してきました。その結果、歴史上これほどまでに変化したことがあるのかと思われるような変化を遂げていきます。

イベリア半島のレコンキスタ（国土回復運動）とエンリケ航海王子

イベリア半島にイスラム教徒が上陸したのは8世紀初めのことで、そこにあった西ゴート王国が滅ぼされました。イスラム勢力はピレネー山脈を越えてフランク王国に入りましたが、732年のトゥール・ポワティエ間の戦いで敗れ、ピレネー山脈がフランク王国とウマイヤ朝の境界になりました。敗れた西ゴートの支配者たちは、周辺の山岳地帯に逃げ込みましたが、そこには未開状態にあった原住民がおり、西ゴート族は彼らに大きな刺激を与えました。両者は協力してイスラム支配に抵抗することになります。

13世紀の初め、キリスト教徒は大勝利したのですが、アフリカ大陸からのイスラム王朝の攻撃もあり、グラナダを拠点にしたイスラム政権は陥落しないままに時間が過ぎます。この過程でカスティリャ王国やアラゴン王国が台頭してきて、15世紀の後半に両者が同君連合を結成、1492年にグラナダ王国を陥落させました。カスティリャのイサベル女王の支援で、コロンブスが新大陸に至ったのはこの年になります。

この間、13世紀にいち早くレコンキスタ（国土回復運動）を完成させていたポルトガルは、東方のヨーロッパ諸国より、西方の大西洋に目を向けていきます。エンリケ航海王子はポルトガルでアビス朝（1385～1580）を開いたジョアン1世の第5子です。母親、つまりジョアン1世の王妃はイギリス王エドワード3世の息子の娘（すなわち孫）ですから、彼はエドワード3世の曾孫ということにもなります。

エンリケは軍人としてジブラルタル海峡の対岸のセウタを攻撃（1415）して占領し、熱心な十字軍戦士として名をはせますが、同時にどこかにあると信じられていたプレスター＝ジョンの国（キリスト教国）への探検も夢見ていました。ポルトガルの南西端ザグレスに天文学者や数学者、航海者などを集め、西アフリカの探検を進めていきます。彼のこのような努力が実り、ポルトガルは彼の死後38年目の1498年にインドに到達するルートを開拓したのです。コロンブスの航海が、このような彼の姿勢から大きな刺激を受けていたことは想像に難《かた》くありません。

ポルトガルはアフリカ西海岸を南下し、スペインは大西洋を西進した

ヴァイキング（ノルマン人）は北海からヨーロッパの大西洋岸を回り、地中海にやってくるほどの航海技術をもっていました（Chapter12参照）。彼らはグリーンランドやアイスランドを経由しながら新大陸にまでたどり着いたという説も有力なのですが、大挙して大西洋に乗り出せるものではありませんでした。15世紀になると、外洋航海に耐えるキャラベル船やキャラック船（コロンブスのサンタ＝マリア号がよく知られます）が登場します。地球球体説が唱えられ、天文観測技術も向上しました。ポルトガルには前述したエンリケ航海王子のような人物も出てきます。ディアスやガマなどのポルトガルの船団はアフリカ西海岸を南方に進んだのですが、スペインのイサベル女王の支援を得たコロンブスはカナリア諸島から、ほぼ北回帰線に沿う形でそのまま西に進みました。この結果、異説も出ていますがサンサルバドル島に到達したのです。その後、スペイン人の新大陸進出はカリブ海の諸島を含めた中米地域から始まりました。

ところで、南北アメリカ大陸には3～2万年以上も昔、寒冷期でアラスカとシベリアが陸続きだった頃に、モンゴロイドが移住しました。彼らは南北アメリカ大陸に散らばっていき、前6000年頃にはチリ南端まで分布していたと考えられています。このように「新大陸」にはすでに人々（ヨーロッパ人にとっての「インディオ」）が居住していたため、16世紀以降、南北アメリカ大陸で先住民と、新参の白人の対立が始まります。これは白人の圧倒的勝利で終わりました。この結果だけで、今日のラテンアメリカの人口構造を語ることはできません。スペインやポルトガルが行なった新大陸政策が、インディオ人口を激減させただけでなく、世界史のあり方を大きく変えていったといえるのです。

インディオに対する過酷な対応を批判し、彼らも人間なのだからとキリスト教の福音《ふくいん》を説いたラス＝カサスという宣教師がいます。植民者たちはこれに対抗するため、アリストテレスのいった「奴隷的人間」を引き合いに出して論争しますが、ローマ教皇もラス＝カサスの立場を支持しました。しかし、そのラス＝カサスもインディオに代わる黒人については人間としての立場を認めず、黒人にとっては苦難の時代が始まることになったのです。

スペインの植民地経営で、インディオ人口は激減

進出初期、新大陸政策を積極的に行なったのはスペインです。その経営方法は三

つの時代に分けて説明されています。第1期は「発見」からほぼ半世紀間のことで「略奪期」ともいわれます。先住民社会で蓄積されていた財貨を略奪しただけでなく、先住民を奴隷同様に使って砂金の採掘を行なわせました。1520～30年代に、コルテスはメキシコのアステカ王国を、ピサロはペルーのインカ帝国を滅ぼしています。

続く第2期の16世紀後半からの半世紀余りは、銀鉱山の開発の時代になります。アンデス高原でポトシ銀山、メキシコでサカテカス銀山が発見され、さらにポトシの近くで水銀鉱が見つかり、水銀アマルガム法による銀の生産が進みました。その結果、世界全体の9割の銀がこの地で生産されたともいわれます。これがヨーロッパにもたらされて「価格革命」（銀の大量流通によるインフレ傾向）が起きたことはよく知られます。なお、鉱山の開発に並行して農業や牧畜なども発展し、経済的分業体制も形成されていきました。

しかし、この過程での先住民への厳しい収奪は新大陸の発見から1世紀余りで先住民人口を1割に激減させたといわれます。人口減少の原因は、銀鉱山内部での労働環境の悪さから始まり、水銀アマルガム法による水銀中毒が指摘されますが、スペイン人たちが旧大陸からもたらしたペストやインフルエンザなどの流行病に対し、先住民が抵抗力をもっていなかったことや、労働に対する栄養不足なども指摘されます。

17世紀になると鉱山業は低迷し、土地の経営が経済の中心になります。これが第3期にあたります。しかしながら、この時代は君主が絶対的権力をもっており、新大陸の土地はすべて国王のもので、植民者たちには、植民地経営での功績に応じて土地が与えられました。スペイン本国の低迷なども関連してスペイン系植民地では、資本主義的な農業経営が行なわれず、土地は教会や特権層に吸収されていきました。さらに18世紀初め、スペイン継承戦争の結果、スペインの王室がハプスブルク家からブルボン家に代わると、ブルボン家が採用した自由主義的政策は、大土地所有者や鉱山経営者を豊かにしましたが、多くの貧民も生むことになりました。やがて豊かな階級の青年たちは、旧大陸の啓蒙《けいもう》思想を学び、さらにアメリカ合衆国の独立やフランス革命の影響で、スペインの絶対主義に反旗を翻《ひるがえ》します。19世紀初め、ラテンアメリカ諸国の独立が続いたのはこのような背景があるのです。

時代が少し前後しますが、スペイン・ポルトガルの低迷とは対照的に、その間隙《かんげき》をついて、オランダやイギリス、フランスが新大陸に進出します。カリブ海諸地域

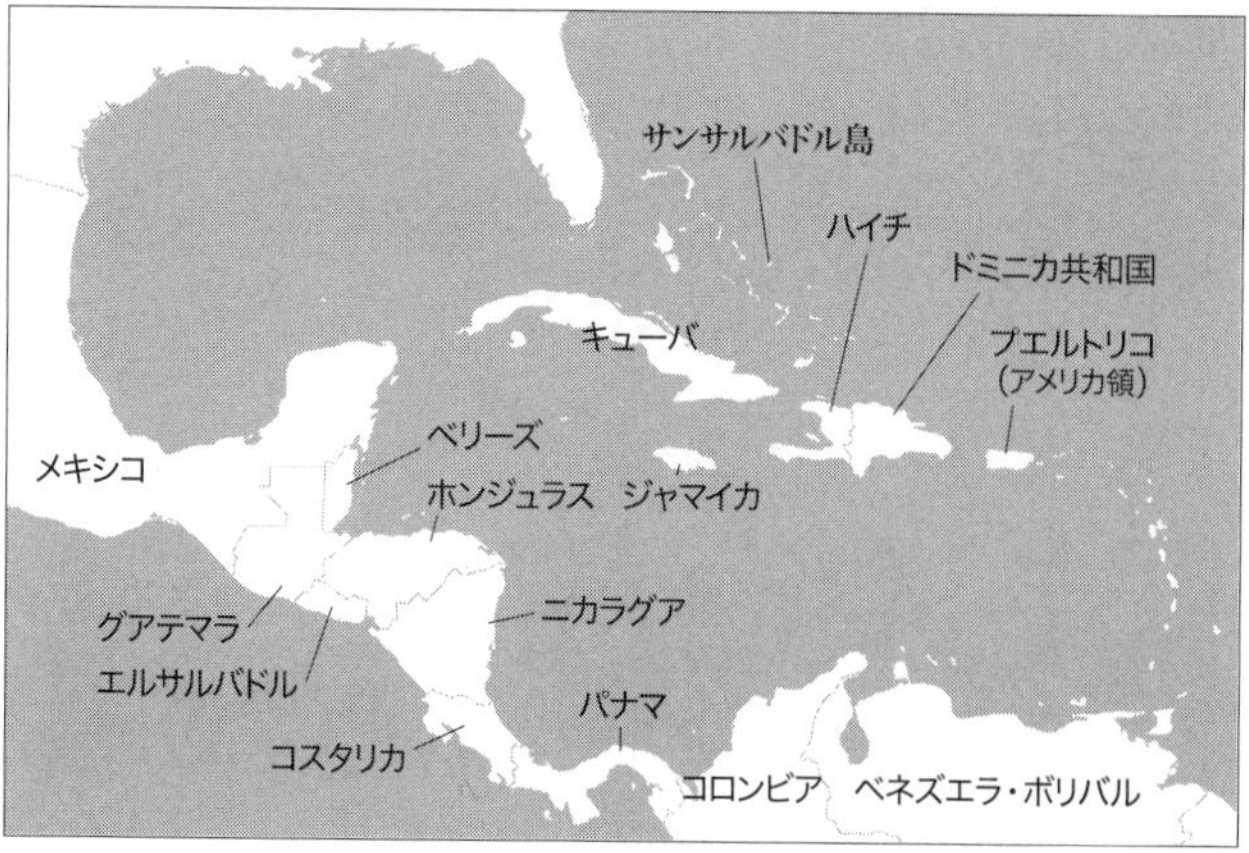

現代の中米諸国

で土地を奪い、そこで砂糖のプランテーション経営をさかんに行なうようになりました。ただ、ブラジルだけはカリブ海に先んじて砂糖のプランテーションを成功させました。このとき、労働力としてもたらされたのがアフリカ大陸の黒人奴隷であり、16〜18世紀に1500万とも2000万ともいわれる黒人が強制連行されたのです。カリブ海諸国やブラジルなどで黒人人口が圧倒的に多いのはこのためです。ちなみに、1804年に起こったカリブ海のハイチの独立はラテンアメリカで初めてのことです。この国が、史上初の黒人共和国になるのはこのような事情によります。

白人、黒人、先住民が入り混じる諸民族混血の世界

ラテンアメリカの歴史ではかならず出てくる歴史用語を紹介します。支配者として新大陸に渡ったスペイン人は、聖職者や高級官僚から末端の官僚、植民者などさまざまな人々がいました。そのなかで、本国、つまりイベリア半島生まれの人々を指す言葉がペニンスラールで、現地で生まれた人々がクリオーリョになります。ペニンスラールは「半島人」、クリオーリョは「本来の場所とは違う場所で生まれ育った」という意味になります。共に白人で支配階級を構成したのですが、19世紀初めに本国からの独立戦争を戦ったのはクリオーリョたちになるのです。

白人たちがラテンアメリカに入ってきた時代、そのほとんどが独身男性でした。この結果、インディオの女性との間に子どもが生まれました。そのような混血のなかで出てきたのがメスティーソになり、多くの国で多数を占めるようになります。彼らは私生児であり、白人はもちろんインディオからも差別されました。

ところが、さらにその下に置かれた人々もいます。ヨーロッパ系の白人と黒人の間に生まれたのがムラートで、メスティーソ同様に私生児で、その境遇は悲惨でし

た。さらにインディオと黒人の間に生まれたサンボなど、多様な人種構成になっていったのがラテンアメリカ世界です。加えて、19世紀になるとスペイン・ポルトガル以外のヨーロッパ諸国、ドイツやイタリアや東ヨーロッパ諸国、さらには日本や中国、朝鮮、インドなどアジア系の人々も移住してきます。

最新の正確な統計を手に入れるのは難しいので、かなり大雑把な数字になりますが、だいたいの、そして本質的な傾向は理解できると思います。現在のラテンアメリカ諸国の人口総計は5億6000万人くらいとされています。そのうち先住民、つまりインディオの末裔《まつえい》は1割程度

現代のラテンアメリカ諸国

でしかないのに対し、白人は3割5分ほどになります。さらに、それ以上に注目しなければならないのはメスティーソやムラートに区分される人々が5割もいることです。これらの人口の割合は、国によってずいぶん違うことも注目されます。

先住民が国民の半数近く残っている国は、かつてインカ帝国の繁栄の歴史をもつペルーとボリビアです。それに対して白人が6割以上を占める国はアルゼンチン、ウルグアイ、プエルトリコ、コスタリカ、キューバなどです。キューバなどでは先住民が絶滅した歴史もあります。メスティーソやムラートが多い国はメキシコ、ホンジュラス、ドミニカ共和国、エルサルバドル、パラグアイなどになります。最大の人口をもつブラジルは白人が5割ほどで、メスティーソとムラートがそれぞれ2割ほどになっています。カリブ海諸国や中米諸国に、メスティーソやムラートが多いことがとくに注目されます。

この地域の人々の混血について云々《うんぬん》するのは、意味のないことになりつつあります。しかし、独自の文化をもつ先住民との間には越えがたい溝《みぞ》も存在するようです。その背景には、一つの国民主義意識をつくり上げたいという思惑が強く感じられます。

1908年から日本人のブラジル移住が始まる

ラテンアメリカ世界には日本人移住者もたくさんいます。こちらも正確な数はわからないのですが、現在、中南米には210万人もの日系人がいるといわれています。この数字には、現地の人々との結婚によって生まれた2世や3世が含まれており、移民が開始されてからの実際の移住者は30万人とされます。

移民・移住者は、その時代の経済・社会・政治を反映します。ほかでも書いているように、19世紀のヨーロッパは人口増や不況などによって生み出された失業者や困窮者が新大陸を目指しました。日本人の海外移住の場合、明治維新で外国に門戸《もんこ》を開放したため、明治政府成立後の経済的・社会的混乱の続くなかで海外を目指す人々が出てきたのです。その日本人が最初に注目したのはハワイでした。そこからの情報が伝えられてくると、合衆国本土（Chapter18参照）にもラテンアメリカにも目が向いていきました。

1888年、国際世論の圧力により、ブラジル政府が奴隷制度を廃止したことは、世界各地からのブラジル移民を促進することになります。日本人にとっては、アメリカ合衆国がアジア人を目標にした移民制限を行なったことや、日露戦争で勝利したにもかかわらず国内の景気の低迷が続いたことなどが、ラテンアメリカ地域に目を向ける一因になりました。すでにキューバなどに移住した人々もいましたが、ブラジル移民は1908年から始まります。

日本人に限らず、移住者の生活は厳しいものでした。20年前まで奴隷制度が行なわれていた世界ですから、それが廃止されていたとはいえ、雇用者側の意識は大きく変わっていたわけではありません。さらに、厳しい国際関係も続きました。第二次世界大戦中、多くの国が連合国側に立ったため、日本人は強制収容所に移されました。

ヨーロッパ近代化の陰に、「受難」の大陸となった

スペイン・ポルトガルの植民地として始まったラテンアメリカの歴史ですが、これほどまでに白人の勝手が行なわれた地域はほかにはありません。関連してアフリカの黒人も大きな受難を経験しますから、大西洋を挟んだ地域は16世紀以降、「受難」をキーワードにした歴史共同体をつくっていたといえるのかもしれません。

ヨーロッパの近代化は、アジアはもちろんですが、アフリカとラテンアメリカの犠牲の上に形成されてきたことになります。そして、このような犠牲が、資本主義という新しい経済体制を生み出したことも確かです。この世界で行なわれた不幸な歴史を教訓にしていくのは、現代人の義務ともいえましょう。

Chapter 15

アフリカエリア
紀元前〜19世紀

列強の進出で変貌したアフリカの民族

概論

アフリカ全体で見たとき、北アフリカ地域は紀元前の時代から地中海を挟んで、フェニキア人やローマ人との交流が続いてきました。サハラ砂漠を縦断する貿易ネットワークはもちろん、アフリカ東海岸もアラビア半島やインドとの関係が深く、さらに15世紀には鄭和《ていわ》に率いられた中国船がやってくるということもありました。そして、それまで外部勢力にとっては「未踏」であった西部および南西部海岸は、15世紀の末、ポルトガルの艦隊が喜望峰《きぼうほう》（当時は「嵐の岬」と呼ばれました）まで到達した時代に「発見」され、さらに喜望峰を周回し、アフリカ東海岸に寄港しながらインドに到達しました。インド航路の成立です。ポルトガルに続いてスペイン、オランダやイギリスなどの諸国もインド航路に参入したのはいうまでもありません。

サハラ砂漠が分ける「ホワイト＝アフリカ」「ブラック＝アフリカ」

7～8世紀以降、エジプトからモロッコまでの北アフリカ一帯はイスラム化されたため、アラビア語が一般に話されるようになります。イスラム教徒でアラビア語を話す人々は基本的に「アラブ人」になり、北アフリカではベルベル人の多くが、それぞれの伝統をもちながらも「アラブ人」といわれるようになります。とくにエジプトは、ノアの息子ハムに始まるということで「ハム語族」とされてきましたが、セム語族と大きな違いはないため、現在ではその区分方法は使わず、「アフロ＝アジア語族」といわれるようになっています。この地域はサハラ砂漠以南の「ブラック＝アフリカ」と対比して「ホワイト＝アフリカ」といわれ、ヨーロッパ側も含む地中海周辺の民族やアラブ人、黒人との混血人種などが多く住んでいます。

エジプトから紅海に沿ってスーダン、エチオピアまでの地域では、民族は複雑です。北アフリカと同じアラビア語などを話す人々が多く、宗教はイスラム教とキリスト教が半分半分ほどです。この地域のことは後述します。

複雑になるのは、サハラ砂漠以南の「ブラック＝アフリカ」です。まずこのサハラ砂漠を簡単に紹介しましょう。大雑把に、東西5000キロメートル余り、南北1700キロメートル余り、面積は850万平方キロメートル余りです。ただし、基準の取り方により100キロメートル単位で異なった数字が示されています。面積については、アメリカ合衆国のそれに相当すると紹介しているものがあります。

このサハラ砂漠ですが、かつては湿潤《しつじゅん》でサバンナやステップが広がり森林も見られました。最近の乾燥化は前3000年頃から始まり、それ以前のこの地域の住民の姿はアルジェリアのタッシリなどの洞窟壁画からうかがうことができます。そこにはキリンやワニ、ゾウなどのサバンナ性の動物や、それらを狩る狩猟民、牛を飼う牧畜民の姿も描かれています。このような世界で、サハラ地帯の「砂漠化」(サハラとはそもそも砂漠という意味なのですが)が始まり、それに伴って人々も新しい動きを始めるのです。

このサハラ砂漠を横断・縦断するのは簡単なことではありません。すでに前1000年頃にさかのぼる壁画には馬が描かれていますが、それでもって交易がさかんに行なわれていたとはいえません。多くの物資を運ぶ、まさしく「砂漠の船」の役割を果たすラクダが使われるようになったのは紀元前後のことと考えられています。

コイサン族、ピグミー族、バンツー族がネグロイドの代表

人類は現在、皮膚の色、体格などによって、ネグロイド（黒色人種）、コーカソイド（白色人種）、モンゴロイド（黄色人種）と3区分されています（ほかにも二つほどの区分があるのですが、ここでは扱いません）。アフリカ北岸に多いベルベル人やアラブ人はコーカソイドになりますが、サハラ以南ではネグロイドの世界になります。このネグロイドは大きく四つ、あるいは五つに分類されてきました。しかし、研究の進展により、分類名や数が変わってきていて、かならずしも現状に対応していません。

今日に連なってくるネグロイドの代表として、アフリカ南部・東部にサンとコイ・コイン、さらに赤道直下にピグミーがいます。サンとコイ・コインは言語（発音に類似点があり、コイサン族とまとめられています）や身体的特色などでは類似していますが、前者が狩猟・採集、後者が牧畜に依存していたところが違っています。

ピグミーは赤道を中心にした熱帯雨林に広く分布しており、狩猟・採集を中心と

する生活をしていました。ピグミーは農耕民族との交流の場でのみ言語を話し、独自の言語をもちませんでした。かつてコイサン族と同じ集団に含まれていたにもかかわらず、言語を失ったのです。その理由として、農耕民族としか交渉をもたなかったため、相手の言語のみを理解するようになったのではないかという説明もなされています。

この三つを大きく動かすことになったのがバンツー系民族になるのですが、もともと彼らは、現在のナイジェリアからカメルーンの国境周辺が原住地と考えられています。アフリカで農耕が始まったのは前3000年頃とされますが、紀元前後には赤道付近にまで広がってきていたといいます。その農耕文明を担ったのがバンツー系民族です。バンツー系民族と書きましたが、文法的にはよく似た言語をもちながら、2000~3000（6000とも）くらいの集団があるようで、これまた簡単にはまとめられません。

前3000年頃からの乾燥化は南方の湿潤地帯にもおよび、森林が後退し、コンゴ盆地周辺にサバンナ地帯が誕生しました。バンツー系民族は、中央アフリカから東・南アフリカまで、アフリカ大陸の3分の1を占めるほどに広大な地域に動きました。紀元前3世紀にはヴィクトリア湖周辺まで動いたもののほか、海岸沿いに南下して、コンゴ盆地南部のサバンナ地帯に移住した者もいます。そしてコンゴ盆地周辺の人口の9割を占めるに至りますが、そのようなことが可能であった理由は、彼らが農耕文化をもっていたことに加え、森林伐採に抜群の効果がある鉄器技術に秀でていたためでした。

イスラム化していったスーダンとエチオピア

「スーダン」という言葉は、もともと「黒い人」を意味し、北アフリカのアラブ人から見て、サハラ砂漠の南部、すなわち黒人の住む地域を指す言葉で、アフリカ西岸から紅海までの広い範囲を指していました。現代のスーダンはその東方地域に限られます。これは古代エジプト人のいったヌビア（金《きん》を意味するヌブを語源とする説があります）地方になり、19世紀、オスマン帝国から独立を果たしたエジプトのムハンマド＝アリーがこの地を制圧しました。エジプトがこの地域の支配を図ったのは、かつて古代エジプトの時代に金や象牙《ぞうげ》、奴隷などを求めてしばしばこの地域にも侵入したことに思いをはせたからではないでしょうか。余談になりますが、エジ

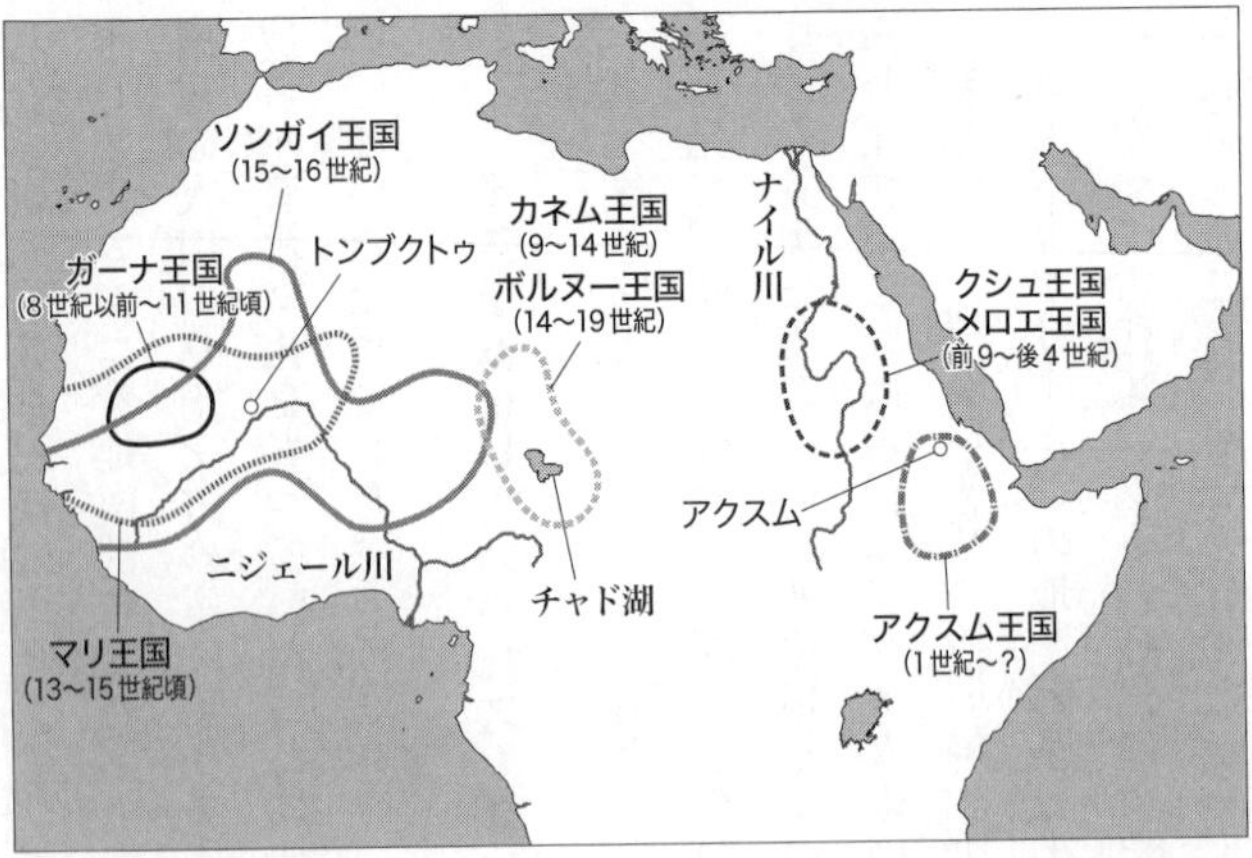

アフリカのおもな王国

プト人とヌビア人は同じ民族が分かれたものとする説もあります。

スーダンはしばらく前までアフリカで一番面積の大きな国でした。しかし、2011年に南スーダンが独立したため、コンゴ民主共和国やアルジェリアに続く第3位になりました。その南スーダン独立の原因は、スーダンの民族構成の複雑さにあります。ナイル川上流に前9世紀頃に興《おこ》ったクシュ王国は4世紀頃に、エチオピアで台頭してきたアクスム王国（後述）に滅ぼされます。その後、キリスト教化されるのですが、7世紀以降にエジプトがイスラム化されていくにもかかわらず、スーダンはイスラム教の浸透に抵抗します。しかし、13世紀にエジプトにできたマムルク朝の遠征を受けたり、アラビア半島から紅海を渡ってきたアラブ人が移住してきたこともあり、イスラム化していきました。このような宗教・民族の問題に加え、資源の支配も絡み南スーダンが分離独立したのです。

エチオピアは4000メートルを超す高原地帯のため雨量が多く、森林地帯となり、そこに降った雨は青ナイル川の支流となる多くの峡谷《きょうこく》をつくっています。住民はセム系の言語(アムハラ語)を話すアムハラ人が政治的実権を握っていますが、いっぽうで南部地域ではクシュ語族のオロモ族がおり、この両者がエチオピアの圧倒的多数派になります。オロモ族は優れた農業技術で人口を増やしていきましたが、アムハラ人に同化された者もいます。そのほか、アラブ人、ユダヤ人、ソマリ人、アルメニア人など少数派も多く、後4世紀頃に伝えられたキリスト教に対し、イスラム教徒もほぼ同数の信者を誇ります。いっぽうでユダヤ教や伝統信仰も残されています。周辺諸国の動きのなかでエチオピアも混乱させられる一因は、このような民族・宗教の複雑性に求められます。

西海岸周辺に成立したアフリカの「帝国」

サハラ砂漠の南方の西部地域には、スーダン人やギニア人とも区分される黒人が分布しています。ニジェール川などの河川を中心に、この地域にも鉄器がもたらされ、それが森林の伐採や耕作などに使用され、この地域の経済基盤を大きなものにしていきます。そういった条件の下で、この地域で「帝国」が建設されていきました。小国は省略し、今日のマリやモーリタニアなどを中心に成立したいくつかの大国を紹介します。

8世紀以前～11世紀頃、金と岩塩の仲介で繁栄したのがガーナ王国です。この地域には、サハラ砂漠を越えて北方のベルベル人がやってきます。砂漠の船といわれるラクダの果たした役割は大きなものがありますが、この交易を通じてイスラム教がサハラの南方まで伝えられていきました。このガーナ王国は11世紀に、モロッコに成立したムラービト朝の攻撃によって衰退します。

続いて13～15世紀頃に繁栄したのがマリ王国になります。マリ王国のトンブクトゥは「黄金の都」として知られるのですが、ここに14世紀初めに出たマンサ＝ムサ王は壮麗・壮大な規模でメッカ巡礼を行ないました。このとき、カイロで金を大量に使った結果、カイロではインフレが数年間続いたという逸話が残されています。

15世紀、マリ帝国の一部から強大化したのがソンガイ王国です。この国はガーナ王国やマリ王国をしのぐ広大な領域を支配しました。宗教・商業都市であったトンブクトゥが最大の繁栄を遂げたのもこの時代といわれます。16世紀になると旱魃《かんばつ》・疫病などで国力が衰えたのに加え、モロッコ軍が新式の火器をもって攻撃し、王国は滅亡に追い込まれました。また、16世紀以降の大西洋航路の発展による黒人奴隷貿易によってアフリカ全土が低迷し、サハラ縦断貿易が衰退したこともあり、サハラ以南の黒人国家は繁栄を失っていきます。

チャド湖周辺では、9〜19世紀頃までカネム王国、ボルヌー王国が存在していました。サハラ縦断貿易で繁栄しましたが、周辺民族に圧迫され衰退しました。

東アフリカ地域では一足先に、大航海時代が展開された

マダガスカルに人間が移住してきた時期についてははっきりしません。前4世紀頃から後6世紀頃の間ではないかといわれるのですが、それ以上の驚きは、最初に

やってきたのがインドネシア系（マレー＝ポリネシア語族）の人々（メリナ人）だったことです（44ページ参照）。彼らはまずアフリカの東海岸に住み着き、その後でマダガスカルに移ったといわれます。とくに彼らが伝えたバナナはアフリカ大陸でも栽培されるようになり、食料事情の改善に貢献しました。

アラブ人が、交易を目的にこの地に渡ってきたのは7～9世紀です。居住した者もおりイスラム教の慣習なども伝えられています。しかし、マダガスカルはフランスの植民地になったこともあり、宗教はキリスト教が中心になっています。さらに10世紀頃にはバンツー系の人々が移住し、これらの混血を中心にマダガスカル人が形成されました。バンツー系の人々は牛を連れて移住しましたが、これがマダガスカルの農業の発展に大きな役割を果たしています。

アフリカの東海岸には、インド洋のモンスーンによりアラビア半島やインドから渡ってくる商人たちが多く、ほかの地域とは少し違った歴史の展開があります。とくに、8世紀半ばに西アジアを中心とした範囲でアッバース朝が成立すると、インド洋でのイスラム商人たちの動きが活発化しました。この結果、ソマリアからモザンビークの海岸地帯では、バンツー系の言葉にアラビア語が混じってスワヒリ語が形成されます。さらに、アラブ人やイラン人などとバンツー系民族とが混血した人々を、スワヒリ人としてまとめるような動きも出てきています。

さらに付け加えておきますと、インド洋のモルジブで集められたコヤス貝はサハラ横断貿易によって西にも運ばれ、マリ王国などでも珍重されていました。インドからアフリカ西岸に至る交易のネットワークが機能していたことになります。

南アフリカには白人、インド人、マレー人などが移住する

西洋列強がインド航路を発見する過程で、アフリカ西海岸の各地にヨーロッパ諸国の拠点が建設されますが、これらは将来の植民地化の布石になります。さらに、16世紀から18世紀頃までヨーロッパ各国が行なった黒人奴隷貿易はアフリカを荒廃させました。かつて繁栄を誇った前述の黒人帝国も次々に滅ぼされていきます。そして、そのような地域でとくに注目されるのが南アフリカになります。アフリカ大陸の南端で、インド洋と大西洋を結ぶ中継地として、ほかの地域とはやや異なった歴史が生まれたのです。

この地域には初めコイサン族が、やがてバンツー系民族が入り込んできて、広く

分布しました。さらに10～14世紀には、バンツー系の言語を話すズールー族が南下してきて、南アフリカ地域の最大勢力になりました。19世紀にはズールー族にシャカ王が出て、強力なズールー王国を建設します。19世紀末には3C政策（イギリスの帝国主義の基点となる三つの都市、カイロ、ケープタウン、カルカッタ〈現在はコルカタ〉を結ぶ地域の植民地化を目指す政策）が推進されますが、この過程でズールー王国も併合されました。

この地域には、オランダ人から始まって白人のみならずインド人やマレー人なども移住したこともあって、複雑な民族構成になっています。オランダ人植民者のボーア人とイギリス人は白人、オランダ人とインド人や黒人の間に生まれたカラードといわれる混血、そしてバンツー系の先住民などになりますが、そのなかで、人口で20パーセントに満たない白人が、カラードや黒人を人種隔離する「アパルトヘイト」が20世紀末まで行なわれたのは、植民地政策のなごりです。

アフリカの民族移動を見たとき、明確なことはわからない場合がほとんどなのですが、長い時間をかけて行なわれていったことは否定できません。そして、その結果が国民国家的まとまりをもたらしたかというとそうではなく、非常に複雑に入り組み、その種のアイデンティティーは生まれませんでした。にもかかわらず、この世界に無理やり「国境」的なものを引いてしまったのがヨーロッパの帝国主義列強です。アフリカの民族意識は、その帝国主義的支配に抵抗するなかで形成されてきたのですが、諸地域内の分裂・対立などがあり統一は非常に難しい状態にあります。高度な政治的・経済的な統合を目指す「アフリカ連合」構想もあるのですが、すぐに実現されるものでもありません。

第三部 近現代

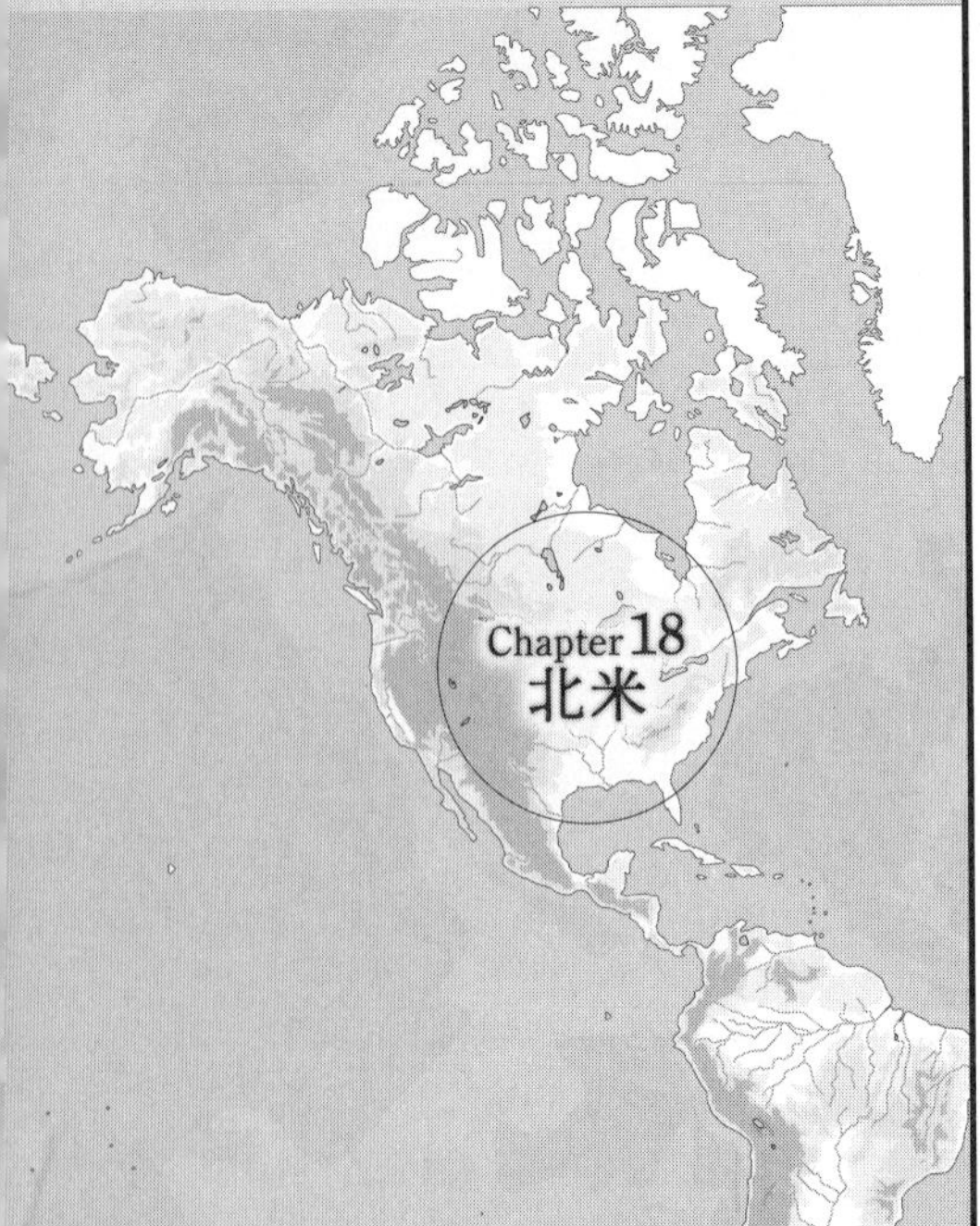

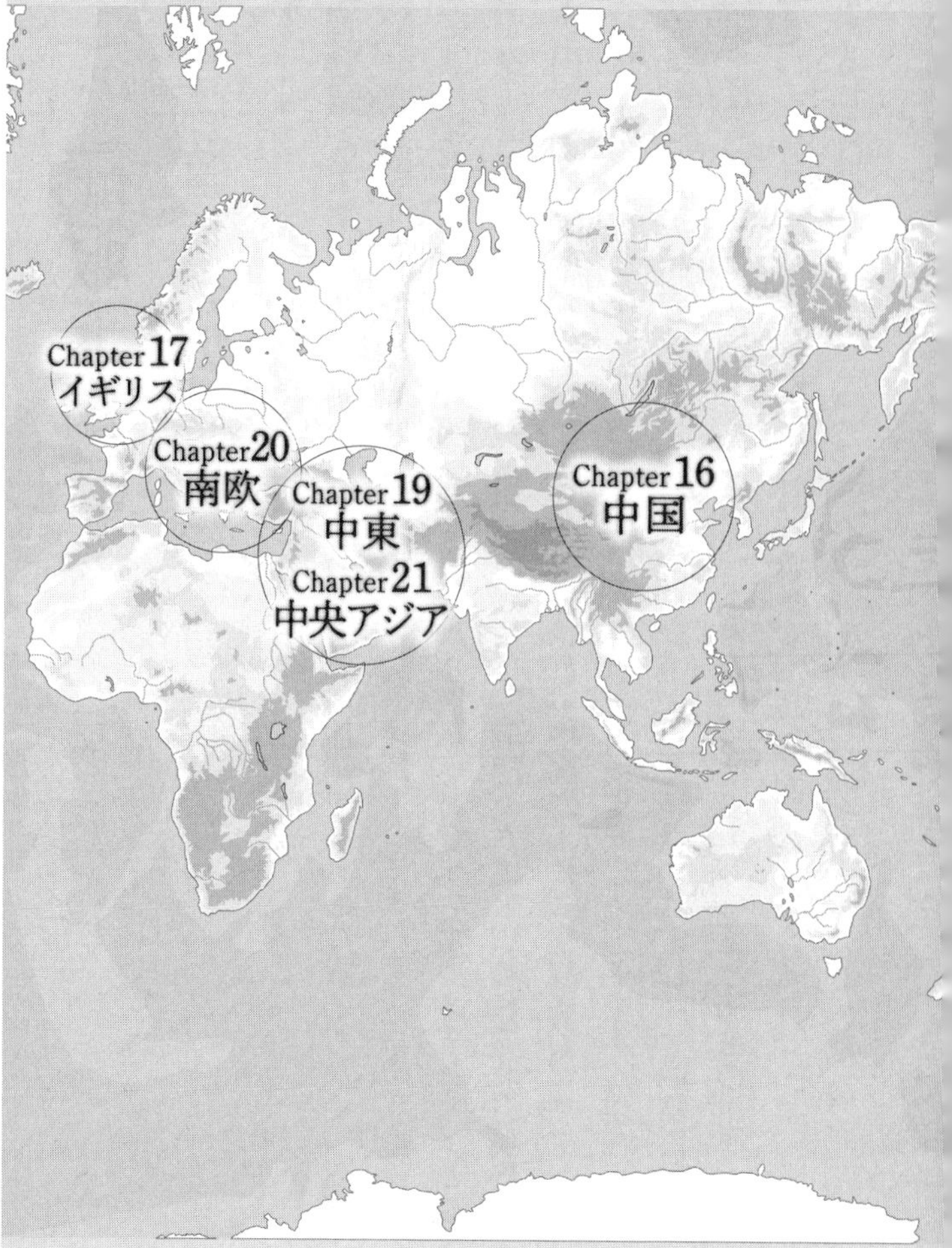
Chapter 17
イギリス
Chapter20
南欧
Chapter 19
中東
Chapter 21
中央アジア
Chapter 16
中国

Chapter 16

中国エリア
5〜21世紀

征服王朝により漢民族の概念が拡大

概論

陸上で国境を接する諸国家の中央部に住んでいるのならともかく、周辺部では外部の諸勢力や諸国家との関係は嫌でも生まれます。そうした秦・漢帝国と北方民族の匈奴《きょうど》との関係は、対立から協調へと変化していきました。ところが漢帝国が滅亡したのちの中国の混乱期には、五胡《ごこ》十六国といわれる北方民族の中小国家が群立。それが北魏《ほくぎ》によって統一され、中国本土に異民族王朝が成立します。10世紀以降になると、いわゆる征服王朝が中国を支配していきます。現在の中国の領土のほとんどは、最後の征服王朝、清によって実現されました。中華人民共和国では共産党の支配体制維持のため、アヘン戦争や日中戦争など過去の屈辱が強調され、ナショナリズムに利用されています。超大国となった今となっては、あらためることは難しいのでしょう。

北方民と漢民族の垣根が崩れる

新の王莽《おうもう》（在位8～23）を倒して25年に復活した漢（後漢）王朝は、初期の対外消極策から一転、後半になると対外積極策をとるようになりました。しかし、漢は2世紀末の黄巾《こうきん》の乱を機に弱体化し、ほどなく滅亡します。その後、中国には魏《ぎ》・呉《ご》・蜀《しょく》の三国が鼎立《ていりつ》します。この頃に動きが活発になったのが、まとめて五胡といわれる周辺の遊牧民たちです。時間は少し前後しますが、漢以降、中国人の西域（中央アジア方面）への進出がさかんになっていました。その過程で遊牧民は、強制移住させられたり、みずから進んで南下したりしており、農耕地帯に住む例が増えていきました。彼らはじょじょに同化していったものの、漢民族からは蔑視されることが多く、不満が高まりました。それが、のちの混乱に連なっていくのです。

三国時代は西晋《せいしん》による中国の再統一でいったん収拾されましたが、その西晋が316年に匈奴によって滅ぼされると一族は江南に移り東晋を建てます。この機会に華北に移住した民族が、鮮卑《せんぴ》・匈奴・氐《てい》・羯《けつ》・羌《きょう》の五胡です。彼らは五胡十六国といわれる中小国家を群立させ、そのなかから力を伸ばした鮮卑族の北魏が、5世紀初めに華北を統一します。国家が成立したらそれを安定させ、維持していかねばなりません。その点で遊牧民の軍事的性格の強い制度よりも、中国のような、文人官僚を中核とする官僚制が有効でした。もちろん、北方民族の支配者すべてがそれを支持するわけではありません。官僚制を始めたのは北魏の孝文帝《こうぶんてい》（在位471～99）ですが、彼の漢化《かんか》政策は、それへの反対を含めて、北方民族と漢民族の垣根を崩していく大きな一歩となりました。

孝文帝の漢化政策はかなり徹底していました。都を平城（現在の大同《だいどう》）から洛陽《らくよう》に遷《うつ》したことや胡服《こふく》・胡語の禁止、漢民族との結婚奨励など、中国文化への同化を強制しました。もちろんこれには多くの反対もあったのですが、やりきりました。のちの学者は、高度な中国文明にあこがれたからだという評価をするのですが、諸部族が入り混じっていて共通の話し言葉がなかった事情を背景に、統一のために中国語を採用し、併せて文字をもっていなかったため漢字を学んだとするのが実情でしょう。

また、当時の華北は漢末以来の混乱により漢民族の人口が減少しており、遊牧民のほうが人口比率が高かったことも見逃せません。中国軍の傭兵《ようへい》になった者もいるようですが、下層遊牧民の多くは、漢人がいなくなった農耕地で農耕を始め、農耕民化していきます。漢民族といっても、古代文明以来のものとは意味合いが違ってきます。

北方民族と中国の農耕民との同化はこのように進んでいき、政策はおおむね受け入れられたのですが、このことがモンゴル高原に残されていた遊牧民の六つの軍団、六鎮《りくちん》の反乱を招きます。そのなかで皇帝と皇太后が殺されて北魏は滅び、華北には東魏と西魏が並び立ちます。西魏を倒して北周《ほくしゅう》が建ち、その実質的建国者である宇《う》文泰《ぶんたい》が、北魏で始まった均田制《きんでんせい》を復活させ、府兵制《ふへいせい》（徴兵制度）を整備して国力の充実を図ります。

そういった混乱ののち、隋を建て南北に分かれていた中国を再統一するのが文帝（楊堅《ようけん》、在位581〜604）です。文帝の長女は北周の皇帝に嫁《とつ》いでおり、北周最後の皇帝亡き後、禅譲《ぜんじょう》を受けることで隋を建国しました。文帝の祖先は漢代以来の家系をもつのですが、その一族は北魏に仕え、軍事面で重要な役割を果たしていました。支配階級の鮮卑族とも通婚しており、文帝自身、皇后は匈奴系の独狐《どっこ》氏でした。

続く唐を建国した李淵《りえん》（在位618〜26）も家系は北魏の有力軍人であり、隋、唐共に北方民族と深い関わりをもつことがわかります。また南北朝時代（北魏の華北統一から隋の中国再統一まで）以来の状況を鑑《かんが》みると、秦、漢帝国と隋、唐帝国では漢民族の意味合いが大きく違っています。漢民族の概念が「変質した」ともいえます。

遼・金・元と屈辱の「征服王朝」時代が続く

唐帝国の繁栄が終わった後、五代十国の混乱の半世紀を経て、979年に宋が中国を再統一しました。唐末から宋に至る時代は中国史の大きな転換期とされます。古代的な貴族が姿を消し、形勢戸《けいせいこ》といわれる大地主が社会の中核となり、官吏の登用試験「科挙《かきょ》」の権威が強化されていきました。そのような社会で、中国経済は当時のヨーロッパなど足元にもおよばないような発展を遂げるのですが、文治主義を採用した結果、軍事力の弱体化は免れず、北方民族の圧迫を受けるようになります。とくに、モンゴル高原で建設された遼《りょう》によって、五代十国の混乱のなかで北京《ペキン》などを含む燕雲《えんうん》十六州を奪われたのですが、宋はそれを奪還することができず、宋と遼は兄弟関係だということにして（1004年、澶淵の盟）、かろうじて体裁を保ちました。しかし、12世紀初め、満州（中国東北地区）に出てきた金《きん》に淮河《わいが》（黄河と長江の間を平行して流れる川）以北の土地を割譲させられ、宋はいったん滅び、南宋が成立します。両国の関係は君臣関係となり、中国は臣下になるという屈辱を味わいました（1142年、紹興の和議）。

続く13世紀、モンゴル高原に出たチンギス＝ハン（在位1206～27）はモンゴル高原のみならず中央アジアから西アジアまでを統一、その孫のフビライ＝ハン（在位1260～94）の時代には残っていた南宋も滅ぼし、全中国がモンゴル人王朝、元の支配下に入ります。これらの王朝は「征服王朝」といわれますが、この時代にはあまり混血は進まなかったようです。漢民族にとっては、もちろん歓迎できる時代ではありませんでした。元を打倒して成立した明では、対モンゴル高原政策が強化され、万里の長城が修復・強化されていることからもその一端は説明できます。

とはいうものの、いっぽうでは興味深い現象も出てきます。明の支配（厳しい課税）を嫌った農民のなかには、長城を越えて「夷狄《いてき》」の地に入り、そこを農耕地帯として開拓する「漢民族」も出てきたのです。彼らが清の時代、清に協力して領土を西方に拡大する一端を担うことも注目しておきましょう。

「漢民族意識」を維持する華僑が世界に広まる

漢民族は、中国本土だけで活動しているわけではありません。東南アジアを中心に広く世界に拡大しているのですが、その始まりをいつの時代に求めるかという問題が出てきます。前2世紀に、前漢の武帝が北ヴェトナムを攻めて南海9郡を置いたことはよく知られます。その地に中国人が入植しますが、これが華僑《かきょう》の始まりとする説もあります。この地方に罪人をはじめ、王朝の支配を嫌う人々が流入し、華僑人口は増えていきました。すでに後漢の時代には中国からマラッカ海峡方面への海洋ルートも開けており、ローマ皇帝（大秦王安敦《たいしんおうあんとん》。マルクス＝アウレリウス＝アントニヌスとされます）の使節を名乗る者が中国に至っています。記録上、どの程度の中国人が東南アジアの都市に住んでいたかははっきりしませんが、まったくいなかったとはいえないでしょう。ただ興味深いのが、唐代には多くの僧侶が海路でインドに向かっているにもかかわらず、中国船を利用していなかったらしいことです。

宋から元にかけて、造船技術・航海技術が発展し、福建省《ふっけんしょう》の泉州《せんしゅう》（アラビア文献ではザイトゥンの名で知られます）が南海航路の中心になりました。広東人と共に福建人も積極的に海外進出するようになります。元代にはイスラム教徒の中国移住が多く、彼らは陸路でジャワなどにも進出します。ジャワには元も海路で遠征軍を送っていますが、この遠征は失敗し、多くの中国人がそのまま現地に住み着いたともいわれます。

明の永楽帝《えいらくてい》（在位１４０２〜24）は国威発揚を狙い、宦官《かんがん》でイスラム教徒の鄭和《ていわ》に南海大遠征を行なわせました。７回におよぶ遠征で東南アジア各地はいうまでもなく、アフリカ東海岸にまで中国の威光が行き渡り、多くの国が明に朝貢しました。これは明の海禁政策（自由貿易を厳しく禁止しました）にも一致するもので、当時東シナ海を中心に跳梁《ちょうりょう》していた倭寇《わこう》を抑える意味もありました。東南アジア各地の華僑たちの活動がさらに刺激されたのはいうまでもありません。

鄭和の大遠征で中国の国威が示されてから半世紀ほどがたった１４９８年、ヴァスコ＝ダ＝ガマに率いられたポルトガルの船団が南インドのカリカットに到達します。マゼランが率いた艦隊が太平洋を越えてフィリピンに至ったのは１５２１年です。これらに続いて17世紀になると、オランダやイギリスが東南アジア地域に進出してきます。この地域で覇権を確立していくオランダを中心に、鉱山の開発などで中国人労働者が使役されることも見られるようになります。多くの中国人が東南アジアに進出してきたのですが、彼らの人口が増えるとオランダの脅威になり、華僑などが虐殺される事件もしばしば起こりました。にもかかわらず中国人の勤労精神を買ったオランダ総督の意向もあり、華僑人口は増え続けていったのです。

この華僑たちが、外地で暮らしていても「漢民族意識」をもち続けたことは注目されます。現地における弾圧などに際し、みずからのアイデンティティーを確認するために不可欠だったのでしょう。実際、彼らは清末の革命運動に多くの資金援助を行ないました。辛亥《しんがい》革命の背景には、このような海外在住の「漢民族」の存在も無視できません。

漢民族のなかの漢民族である「客家」

非常に大雑把に漢民族のことを見てきたのですが、純粋な漢民族とされる「客《はっ》家《か》」と呼ばれる人々がいます。1億2000万人余りとされますから、中国の全人口の1割弱、少数派とはいえないかもしれません。彼らの家系をたどっていくと、その信憑《しんぴょう》性はともかく、周や春秋戦国時代の華北の名門に行き着くことが注目されます。政治上の混乱を避けて移住と定住をくり返しながら南下したらしく、現在は福建省から広東省、さらには四川省や台湾に多く居住しています。先住民との対立を避けて、山間部に住む者が多いのですが、華僑や華人として東南アジア方面に移っている者もいます。

そのような歴史から、一族のアイデンティティーを守るために祖先を敬《うやま》う気持ちが大きく、また伝統的に維持されてきた文化・言語を大切にしています。それが地元住民との軋轢《あつれき》の一因になることもあって、彼らは周辺部に居住したのです。ただ、体制からの弾圧を避けるため、それぞれの時代の国家権力には従順だったといわれます。そういった事情から広大な農地をもつということはなく、商業や流通関係の仕事に就く人が多いようです。中国のユダヤ人との異名もあるほどで、ユダヤ人、アルメニア人、印僑《いんきょう》（インド系移民）と並んで「4大移民集団」と呼ばれることもあります。

客家のなかでも注目される人物に洪秀全《こうしゅうぜん》（1814～64）がいます。彼はキリスト教を信仰し、アヘン戦争で清朝が動揺しているときに太平天国《たいへいてんごく》の乱（1851～64）を起こしますが、漢民族の一員としてのナショナリズムもうかがわれます。

征服王朝ながら受け入れられた清が拡大した民族意識

17世紀、満州で台頭した女真族《じょしん》は後金（のちに清と改称）を建設し、明の混乱に乗じて中国に侵入、明に代わって中国に君臨しました。元の時代と同様、清に対する漢民族の抵抗は大きかったのですが、清の懐柔策と弾圧策を織り交ぜた方針に、中国社会の安定もあり、支配はじょじょに受け入れられていきました。17世紀後半から19世紀初めまでの、康熙帝《こうきてい》（在位1661～1722）、雍正帝《ようせいてい》（在位1722～35）、乾隆帝《けんりゅうてい》（1735～95）の130年余り、中国は異民族王朝でありながら空前の繁栄を享受します。この間、モンゴルや中央アジア（新疆）、チベットまでも領域に入れ、そのほかの少数民族と共に、多民族国家でありながら「漢民族」意識の拡大を見たのです。

何よりも清の時代、中国で、人口爆発ともいうべき現象が起きました。清になり社会が安定したこと、農業技術の発展、税制改革で人頭税がなくなったことなど、いくつかの要因が考えられています。中国の人口は、明の時代まで7000～9000万人くらいで推移してきたのではないかといわれますが、康熙帝の時

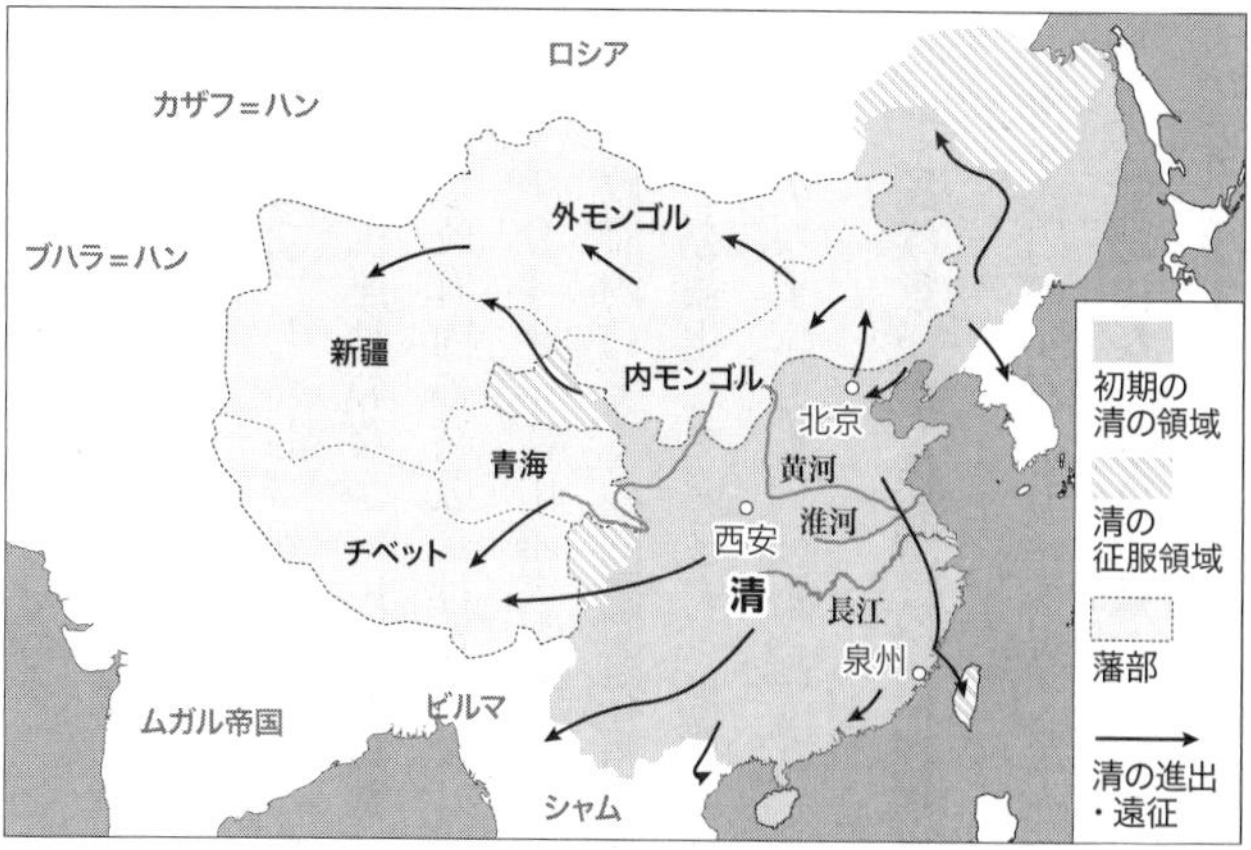

清の勢力圏の拡大の様子。藩部とは中国本土と満州以外の、征服地を支配するための機構。直接統治せず、ある程度の自治を認めた

代に1億人を超し、乾隆帝末年には3億人、道光帝（在位1820～1850）の時代には4億人を超えていたとされます。このため、漢民族が入植することを禁止されていた満州にも入植が認められるようになります。

しかしながら、アヘン戦争に始まるヨーロッパ勢力、さらには明治維新を経験し近代化を成し遂げた日本も含めた帝国主義列強の侵略によって、中国は物質的にはもちろん、精神的にも大きな打撃をこうむりました。太平天国の乱のスローガンに「滅満興漢《めつまんこうかん》」というのが出てきたのはその例です。さらに義和団《ぎわだん》の乱（1899～1900）

のときには「扶清滅洋《ふしんめつよう》」というスローガンが出てきます。「滅洋」とは西洋を討ち滅ぼすという意味で、「漢民族」「中華意識」が、これまでとは違った民族意識として自覚されるようになりました。1911年の辛亥革命で、清と皇帝専制体制は崩壊しました。しかし、建国された「中華民国」には日本の侵略が続きます。それに対する抵抗運動のなかで民族的自覚はさらに深められました。第二次世界大戦後、国民党は政府内の腐敗がはなはだしく台湾に逃亡しましたが、大陸で勝利した共産党は、1949年に中華人民共和国を建国しました。これは社会主義政権であり、政策や政府内に多くの問題も抱えてはいたのですが、反日の抵抗闘争をよりどころに団結心を強化しています。現在も反日映画などが評判を呼ぶのは、体制維持のため不可欠な要素ともいえるのです。

民族意識が「体制維持」に利用される

世界人口の20パーセント近くを占める漢民族ですが、多くは中国国内に住んでいます。話題になる華僑は数千万のオーダーですから、漢民族全体の5パーセントほどになります。これが多いか少ないかは人口3億に迫るインドネシアと、数千万人のマレーシアではまったく違った対応になるでしょう。シンガポールのように中国系民族が4分の3を占め、経済的繁栄を享受している国もあります。さらに、中国人はアフリカ各地に進出しています。最近の中国では、人口増加のため三人っ子政策を始めるようです。強力な政府の指導でそれが行なわれるのですから、漢民族パワーが将来どのようなことになるのか見当もつきません。そもそも漢民族という言葉の定義自体があいまいなのですが、ここでも3000年以上の歴史を踏まえて形成されてきた「漢民族意識」を、現在の中国政府は最大限利用することで、中国をまとめているのです。

Chapter 17

イギリスエリア
15～19世紀

産業革命が促した交通革命と人の移動

概論

現代日本の抱える問題はさまざまです。そのなかで、東京・首都圏への人口の集中も大きな比重を占めるようになっています。これを世界史的に見てみますと、都市に人間が集まるのは古代から、大なり小なり、ずっと続いてきていることです。それを単に都市だけに焦点を当てるのではなく、農村（地方）と都市との関係で考えると、都市への人口移動は必然的なものがあるようにも見えてきます。その一つの典型が18～19世紀のイギリス社会にあります。当時のイギリスでは農業革命と産業革命という経済・社会的変化が進行していました。そこで生み出された多くの科学技術・機械は人間の新しい生き方ももたらしてくれました。人間の移動ということに関しては、鉄道による旅行という楽しみもその一つになります。

近代産業都市が誕生し、農村の人口を吸収した

歴史の始まりは農業にあるといえます。農耕が始まる前にあった狩猟・採集の時代はともかく、「農業革命」という言葉があるくらいに、人類が農耕を始めたことの意味はとても大きいのです。食料がなければ人間は生きていけません。その食料を人為的に生産するのが農業です。商業活動が始まったのも、農業生産力の上昇が前提になります。15世紀に始まる大航海時代以降、新大陸産のトウモロコシやジャガイモなど、それまでのヨーロッパが知らなかった作物が栽培されるようになり、人口も増加し、それが社会を変えていくことになります。

イギリスで産業革命を語るとき、前提としてかならずいわれるのがエンクロージャー、すなわち土地の囲い込みです。効率的に土地を利用するため、農民を追放したのです。そのエンクロージャーは、イギリスでは15～16世紀の第1次と、18世紀以降の第2次とに区分されます。第1次では毛織物産業用の羊毛を確保するため、穀物生産を止めて牧羊地を広げました。第2次は、増加した人口に対応する食料増産のためで、第1次よりも大規模に行なわれました。中世以来の三圃制《さんぽせい》（耕地を春

耕地、秋耕地、休耕地に分け、3交代で利用する）に代わってノーフォーク農法（4輪作《りんさく》制などともいいます。麦作の間にカブやクローバーを栽培して、家畜用の飼料にし、その結果肥料も補えます）を採用しました。種まき機や大型の犂《すき》などを用いて、効率的な農業もできるようになったのです。

エンクロージャーの結果、多くの農民がそれまでのように農業を続けられなくなりました。もちろん彼らの一部は農業労働者として、大地主（資本主義的大土地経営者）に雇用されましたし、小規模な手工業を始めたりする者も出てきます。しかし、それができなかったり、人口増加で職に就けなかった人々は農村を離れました。そのような人々を受け入れたのが、新しい産業都市になります。

余談になりますが、土地の「所有」や「保有」という問題を軸に、農民と地主、経営者などの関係を簡単に紹介しておきます。ヨーロッパ中世社会で、土地の所有者は領主（国王・貴族・諸侯）でした。そのほかに、修道院や教会が寄進によって土地の所有者になっている例もたくさんありました。イギリスでは、16世紀半ばにヘンリー8世が宗教改革を行なったとき、修道院は解散させられ、その所領は没収されました。それが有産者に払い下げられ、ジェントリーといわれる大地主が誕生します。農民は、基本的に土地の所有権はなく、領主の土地を借りて農業を営みました。彼らには、地代《ちだい》の支払いを条件に保有権が認められます。その支払いを故意に怠《おこた》ったりすると、一般的な法律ではなく、領主の恣意《しい》的な裁判（領主裁判権）で厳しく断罪されました。

また、土地の所有権をもっていなかった農民は、エンクロージャーに対して、法的な対抗手段をもちませんでした。それゆえに、フランス革命で土地の無償解放が行なわれるのは、画期的なことだったのです。

蒸気機関の発明が、産業革命を強力に後押しした

イギリスをはじめとして、ヨーロッパの手工業は長い歴史をもっています。近代になると、資産をもった大商人たちが農民たちに原料などを提供して行なわれた問屋制家内工業から、工場に労働者を集め、分業による協業で生産する工場制手工業（マニュファクチュア）へと生産様式は進歩していきました。その間に培《つちか》われてきた技術はたくさんあります。

ところで産業革命について、教科書などでは、大きな機械が並んでいる工場の様

子を描いた絵が紹介されています。しかし、産業革命が始まったといっても、そのような機械が一朝一夕《いっちょういっせき》でつくられることはありません。その前提になった技術として、近年では、精密な部品が要求される時計産業が注目されています。とくに巻いたゼンマイの力を正確に伝える歯車は、機械の大きい・小さいとは関係なく、可能な限り精密なものが必要です。時計産業では、多くの部品が「分業」体制で製造されており、そのノウハウが大きな機械の製造に応用されていったのです。

産業革命は綿工業から始まりました。木綿の生産に資本家が注目した理由は、インドからイギリスに輸入される木綿にありました。ヨーロッパの伝統繊維といえば毛織物ですが、薄手のものも生産されるようになってきたものの、熱帯地方での需要は大きくなりませんでした。それに対して、インド産の木綿は、黒人奴隷貿易を行なっていたアフリカの諸地域だけでなく、イギリス国内でも大きな需要が望めました。実際、インドとの木綿貿易では、イギリスの収支は長年赤字であり、それを埋めるためにインド産のアヘンを中国に輸出したのです。

産業「革命」という言葉から機械化が急速に進んだイメージが出てきますが、動きは緩慢《かんまん》なものであったといえるかもしれません。18世紀から19世紀初めにかけてゆっくりと進行したのです。大きな動力を得るため、ワットがニューコメンの大気圧機関を改良して、蒸気機関を実用化したのは1769年です。その間、ジョン＝ケイが毛織物用に1733年に発明していた「飛び杼《ひ》」が織り機の横糸入れ操作を効率化し、布を織る速度を上げました。次は糸を紡《つむ》ぐ紡績機の改良が進み、ハーグリーヴズ（ジェニー紡績機）、アークライト（水力紡績機）、クロンプトン（ミュール紡績機）の発明が次々に実用化されます。それを受け、1785年にカートライトが速く布を織れる力織機《りきしょっき》を発明しました。1793年に発明されたホイットニーの綿繰《わたく》り機は綿花から種を取りのぞく機械です。これらの機械がワットによって実用化された蒸気機関と組み合わせられたことで、工場の生産性は一気に向上したのです。

リヴァプール―マンチェスター間の鉄道が開設

イギリス産業革命を象徴する都市がマンチェスターになります。北部イングランドに位置するこの都市は、中世以来の商業都市で毛織物業なども発達していました。18世紀の後半、綿工業が飛躍的に発達して産業革命にその名を刻みます。ま

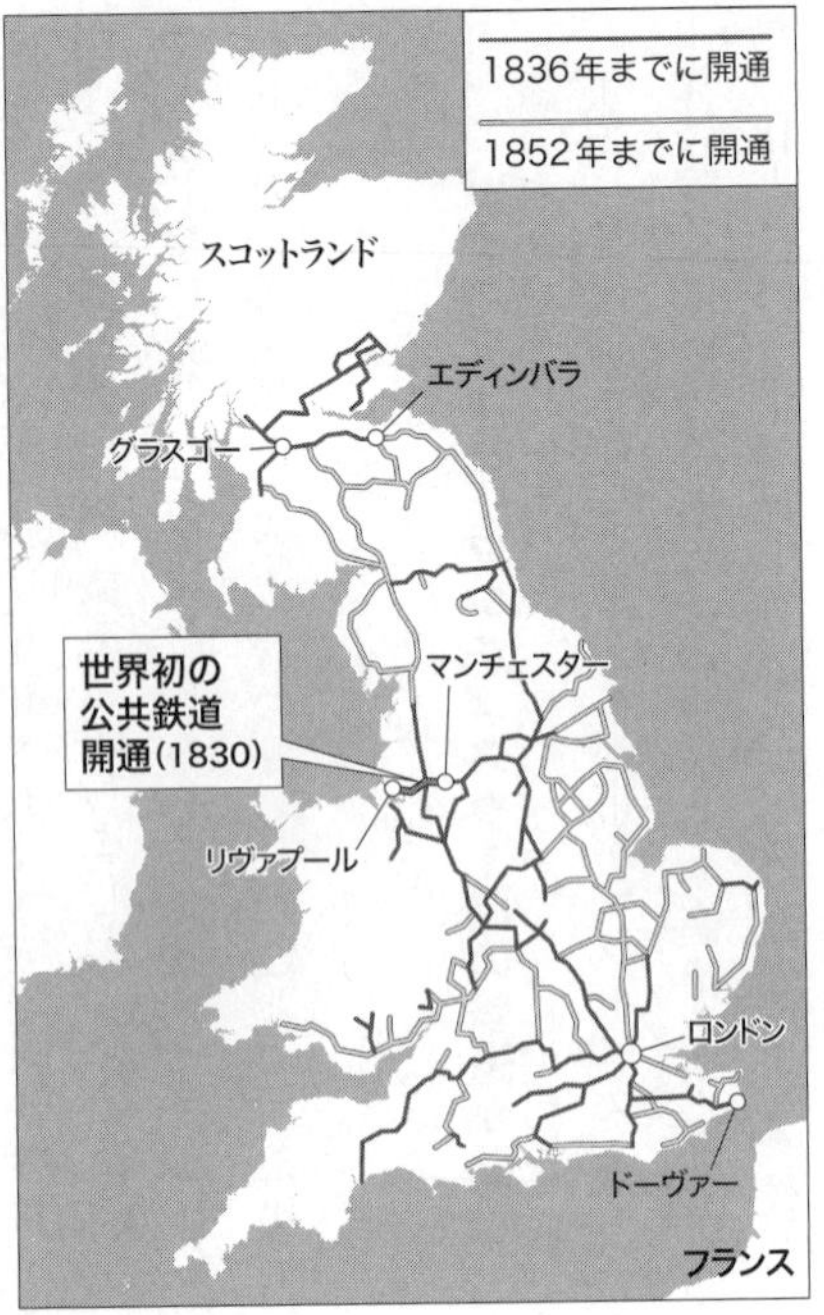

19世紀の鉄道網の広がり

ず、その位置の利点として、リヴァプール港に近かったことが指摘できます。リヴァプールも中世以来の都市なのですが、17世紀末に、近隣のチェスター港が泥の堆積《たいせき》で衰退すると、代わって発展します。18世紀になると新大陸への日用品の輸出から始まり、イギリスによる、大西洋の三角貿易の利益をほぼ独占していました。もちろん、黒人奴隷貿易という負の遺産もあったのですが、イギリス第一の貿易港として繁栄しました。

このリヴァプールとマンチェスターが鉄道で結ばれ、1830年、最初の営業運転が始まりました。港湾都市に近かったことと併せ、マンチェスターには、もう一つ大きな利点がありました。蒸気機関を動かすためには燃料が必要です。それ以前の製鉄業では木炭が使われていました。しかし、森林資源の枯渇《こかつ》から石炭が使われるようになります。イギリスは石炭に恵まれていました。マンチェスターの大富豪の所領のなかに炭鉱があったのです。彼は、その炭鉱とマンチェスターを結ぶ運河を建設し、運河でも利益が上がりました。こうして、大量輸送で安くなった石炭を利用して、大規模な産業都市が誕生します。

運河は、馬車による輸送に比べて大幅なコストダウンが可能ですし、時間も短縮できます。もちろん、鉄道が実用化され、路線が拡大するにつれ、運河の時代は終わります。そんなとき、船舶にも新しい時代がやってきました。蒸気機関は外洋船にも応用され、蒸気船が世界の海を航行することになります。産業革命はこのような「交通革命」も伴って進行したのです。交通インフラは、人々の生活も変えていくことになります。

資本主義の形成を「資本・土地・労働」から読み解く

資本主義を説明するとき、一般に、資本・土地・労働という三つの要素を考えます。先立つものはお金という言葉があるように、まとまったお金＝資本がないと始まりません。土地は、原料の獲得地や製品の市場などを考えます。そして労働とは、具体的に生産活動に従事する人々とすればいいでしょう。付け加えるものはたくさんあっても、この三つが基本になり、それらを具体的に見てみるとうなずけることも多いはずです。

イギリスの場合、まず資本に関して、黒人奴隷貿易の利益は莫大でした。もちろん、黒人奴隷貿易だけでなく、東インド会社のアヘン密輸など、アジアや大西洋の三角貿易はイギリスに巨大な利益をもたらしていました。土地に関しては、植民地戦争でインドをはじめとした世界中に新しい領土を得ています。１８４０年に始まったアヘン戦争は、中国を市場化するための戦争でした。その結果結ばれた南京条約で、中国の閉鎖性を打ち破ったのです。三つ目の労働については、先に書いた農業革命の結果、没落農民が産業都市に流入して労働者になったことから理解できます。付け加えておきますと、工場だけでなく、交通インフラの工事現場でもたくさんの労働者が必要になります。交通機関の従業員から始まり、労働者用の食堂などのサービス業が出てくることも、わざわざ書く必要はないでしょう。

資本主義の3要素に加えて、「市民的自由」が保障されていることも非常に重要な要素になってきます。その自由とは、企業活動や、農村から都市への移動、職業が自由に選択できることなど、自分の意志で何でも活動できることです。

中世都市を勉強すると、「ギルド」という組合の説明が出てきます。中世都市の経済は、大量生産・大量消費が許されるような規模ではないため、自由な活動は許されません。同業者は相互に生産を調整して、全員の共存共栄を図ったのです。それがなくなったというのは、市民社会の成立に向けて大きな意味をもつことです。フランス革命の「人権宣言」で自由が強調されるのはそのためです。

このような調子で書き連ねますと、産業の発展はバラ色の社会を実現したかのような錯覚に陥ってしまいます。しかし、現実の労働者の生活は厳しいものでした。工場経営者の目的はあくまでも自分の利益を大きくすることであり、労働者はそのための道具だという意識がありました。そのために労働者に長時間・低賃金労働を強制します。生産の現場では、分業が進んだ結果、仕事が単純化し、女性のみならず子どもも労働者として工場で働けるようになっていました。しかし同じ時間働いても、男性と婦人・子どもの間には大きな賃金格差がありました。この結果、婦人の労働は補助的なものであり、一家の収入は男が支えるものという社会通念がつくり上げられていったのです。

労働者の住環境も悲惨なものでした。都市に建設された労働者用の住宅は不潔であり、しばしば伝染病の流行を見ました。また工場から排出される煤煙《ばいえん》は都市全体を覆い、労働者の健康をむしばみました。また資本主義経済では、好況と不況がくり返され、不況になると失業者が生まれます。彼らが犯罪に走るということもしばしば起きました。農村で気楽に自給自足的な生活をしていた人々の生活を強制的に変えていった「近代」とは、何であったのかという問いかけがしばしばなされるゆえんです。

ロンドン万国博覧会の開催と旅行の広まり

19世紀に広まった社会主義思想は、彼らを救済するために生まれてきたものです。イギリスの場合、時間はかかりましたが選挙法の改正によって、男性労働者の参政権はじょじょに認められていきましたし、婦人・子どもの労働も規制されるようになりました。

そのような状況で、それまでは考えられないような社会が誕生します。直接的な契機は1851年のロンドン万国博覧会です。産業革命を推進してきたイギリス経済への自信と、工業やデザインの成果を示すために行なわれたこの博覧会は大成功を収めました。注目すべきは、拡大する鉄道網を利用して、一般庶民が博覧会見学のためロンドンに向かったことです。それを推し進めたのがトーマス＝クックの旅行代理店でした。その成功により、クック社は国内旅行だけでなく、スエズ運河やアメリカの大陸横断鉄道（共に1869年完成）を利用する海外旅行などにも乗り出します。

1873年、フランスの作家ジュール＝ヴェルヌが『80日間世界一周』を発表しました。鉄道や蒸気船を利用して世界旅行が可能になったのです。もちろん、コロンブスやガマの時代も人々は帆船《はんせん》で世界の海を航海していました。しかしそれは背後に宗教的情熱もある「探検」であり、レジャーではありませんでした。旅行は移動の一形態ですが、かならず自分の住居に戻ります。同じ時代、多くの移民が片道で新大陸を目指していた（Chapter18参照）ことを考えれば、その種の「旅行」は一部特権階級のものであったとはいえるものの、一般庶民もそれに参加できる道が開けてくるのです。

「旅行」という移動は、生活をかけた移住とは異なります。そして旅行は19世紀になって始まったものではありません。広大なイスラムのネットワーク（Chapter8参照）を使って各地を歩いた旅行家もいますし、マルコ＝ポーロのような東西を結んだ商人の旅行家もいます。中世ヨーロッパには、スペインのサンチャゴ＝デ＝コンポステラやローマ、イェルサレムなどの聖地を巡礼する旅もありました。万国博の見物もそれらに共通するところがあるでしょうが、やはり同じレベルでは比較できません。近代市民社会の移動は、宗教的使命感とは無縁のところにある、娯楽《ごらく》を求めて行なうものになったのです。

産業革命が現代の商品社会の基礎を築く

今日、スーパーやコンビニの陳列棚には商品があふれています。このような大量生産・大量消費の社会の始まりは産業革命にあるといえます。資本主義経済以前の社会は、基本的には自給自足でした。もちろん、食料から始まってすべての生活物資を自分で生産するのは不可能です。それでも当時、毎日のように商店で生活に必要な品物を買うということは考えられませんでした。

産業革命に始まる資本主義社会は、じょじょに人間の生活を豊かにしてきました。そのいっぽうで労働者を取り巻く状況は、今日まで改善されたとはいえません。ロシア革命が実現させたかに見えた社会主義社会の建設は失敗に終わりました。しかし貧富差の拡大、環境破壊など資本主義の抱える問題が山積みされています。「ポスト資本主義」とか「新しい資本主義」が云々されている現在、その始まりに戻って問題を考えてみるのも有益なことでしょう。

港市国家シンガポール

シンガポールは、先に紹介したインドネシアと多くの点で対照的といえます。シンガポールは基本的には島一つ（実際は無人の島も含め50余り）で成り立っています。インドネシアの総面積の2700分の1以下の700平方キロメートルしかありません。この小さな島国が、東南アジア経済の中心的存在であるというのは驚くべきことです。開発独裁という言葉もありますが、シンガポールの場合は建国者リー・クアン・ユーの強権的ともいえる指導によって、東南アジアのみならず、世界経済のなかでも確固たる地位を占めるまでに至ったのです。

シンガポール島の歴史は古くまでさかのぼることができますが、転機となったのは1819年にイギリス人のラッフルズが、マレー半島を治めていたジョホールの王に、島への商館建設を認めさせたことです。彼はシンガポール島を貿易拠点にしようと行動を開始したのです。ちなみに当時のシンガポール島は、漁民が数百人いた以外は海賊の拠点になっているような島でした。

この地域ではイギリスとオランダが勢力を争っていましたが、1824年に勢力圏が確定します。その後イギリスは、マラッカ、ペナン、シンガポールで「海峡植民地」を組織し、シンガポールを自由貿易港として関税をかけないことで流通をさかんにし、国内の加工産業を育成するなどして経済振興を目指しました。

繁栄は人を集めるものですが、アヘン戦争に敗れ混乱する中国を離れる人々の多くがシンガポールに移りました。マレー半島でスズ鉱山が隆盛し、多くの労働者需要を生んだことも拍車をかけます。現在のシンガポールは、民族構成の4分の3以上を中国系が占めており、大きな特色になっています。原住のマレー人も15パーセントいますが、インド人が5パーセントを占めるなど、多民族国家を構成しています。その先祖の移民1世は、19世紀以降に「クーリー（苦力）」としてこの地域にやってきた中国人やインド人たちです。しかし、中国系民族もインド系民族も、華僑や華人、印僑としての性格は薄くなっており、中国やインド本国と深い関係を維持しているわけではありません

中国人が多数を占めているとはいえ、多民族国家であるシンガポールでも民族間の対立は問題になります。シンガポール政府の独裁的傾向は、それを抑える政策にもなっているのです。同時に「シンガポール人」という意識の醸成《じょうせい》にも努力しています。

Chapter 18

北米エリア
1620年～現代

建国以来、移民が増えるアメリカ合衆国

概論

南北アメリカ大陸には15世紀以前、のちに、インディオ（インディアン）と呼ばれるようになる先住民以外、白人や黒人、黄色人種はいませんでした。16世紀以降、今日までの５００年余りで南北アメリカ大陸に居住する人々は多種多様となり、先住民の影は完全に薄くなってしまっています。とくにアメリカ合衆国の場合、移住してきた白人が、彼らを送り込んだ本国からの独立を果たし、彼ら白人の子孫たちが主導する体制は基本的に変わらず、今日まで続いてきています。アメリカ史が本格的に始まった19世紀は国民国家の形成期でもあります。多くの移民を受け入れたアメリカのナショナリズム（アメリカ化）は、何を軸に形成されることになったのでしょう。トランプ大統領の「アメリカ＝ファースト」はいかなる歴史的評価を受けるでしょうか。

1776年、「独立革命」から本格的な国家建設が始まる

アメリカ建国に向けての象徴的「伝説」になるピルグリム＝ファーザーズのプリマス植民地建設は、1620年のことです。イギリスと新大陸の関わりはもっと早く、1497〜1498年、ヘンリ7世がイタリア人カボットにアメリカ探検（ニューファンドランドなど）を行なわせています。しかし、この頃のイギリスには新大陸の植民地経営を行なう財力はありませんでした。エリザベス1世の時代になって、カトリック国家スペインへの対抗という意味もあり、ドレイクなどの海賊がカリブ海周辺でスペイン船を襲います。このようなイギリスの行為に対するスペインの報復が1588年のアルマダ海戦になり、敗れたスペインはじょじょに衰退していきます。エリザベス時代のヴァージニア植民は最終的に失敗しました。しかし、海外植民地有用論も出てきたため、17世紀にイギリスは新大陸の植民地建設を本格化させます。

スチュアート朝のジェームズ1世の頃、ヴァージニア植民が再開されますが、1619年に初めて黒人奴隷が輸入されタバコ栽培に従事させられます。タバコは

植民地の重要物資になります。メイフラワー号でプリマスに渡った清教徒《せいきょうと》が新天地の建設を始めたのは翌20年ですが、これは失敗し、のちにマサチューセッツ植民地に合同されます。そして、このマサチューセッツがイギリス植民地の中核的存在になっていくのです。

17世紀のイギリス本国では、イギリス革命による混乱が続きました。そんな時代も、アメリカ植民地は着実に建設されていきました。いっぽう、植民地戦争も激化します。1651年の航海条例を機にオランダと戦ったイギリスは勝利して、オランダ領の中心だったニューアムステルダムをニューヨークと改称しました。1732年のジョージア植民地が第13番目の植民地になります。

入植した人々はかならずしも熱心なキリスト教徒ばかりではありませんでしたが、強い信仰心をもった人々、信教の自由を求める精神を説く人々を中心に、敬虔な宗教心が育まれました。旧大陸で経験した束縛を嫌い、新天地で理想を実現しようという強い意志がそのような社会を生んだといえます。

植民地はあくまでも本国が利益を得るための場所であり、そこでの活動にはいろいろな規制がありました。しかし本国は当初、植民地人に厳しすぎると経済発展が期待できないので、実質的に自由を認める「有益なる怠慢」を基本方針にしていました。しかし、18世紀の後半になると、植民地戦争の負担などからその政策を捨てて重商主義政策を本格化させることになります。すると植民地人の不満が爆発し、1773年に起こったボストン茶会事件を機に独立戦争へと突入します。

アメリカ独立戦争時の13植民地

アメリカ合衆国の独立は、中堅市民たちが本国とそれに寄生する有産者を追放したという点で「革命」でもありました。ここで中心的役割を果たしたのがWASP《ワスプ》(白人・アングロ＝サクソン・プロテスタント)でした。しかし、この革命で、黒人奴隷の解放は実現しませんでしたし、インディオの地位が保障されたわけでもありません。独立後、1790年に行なわれた人口調査ではWASPがおよそ320万人、黒人奴隷が70万人ほどという数字が残されています。少し飛躍しますが、21世紀初めのアメリカ人口はその100倍近い3億人余りになっています。もちろん自然増加分もありますが、夢を求めて新大陸に渡ってきた移民たちとその子孫が非常に多くを占めています。

増加する移民たちは西方へ向かう

独立戦争後の合衆国では憲法の制定から始まり、国家体制の整備が進みました。19世紀になって、ナポレオン戦争から派生して、アメリカとイギリスが戦うことになりました。このアメリカ＝イギリス戦争の過程で、合衆国でも「アメリカ人意識」が生まれてきます。また、イギリスとの経済的関係が遮断《しゃだん》されたため、アメリカでも農業だけでなく工業が発展する契機になります。アメリカの工業は旧大陸で見られたギルドのような中世的束縛がなかったこともあって急激に発展し、19世紀末には世界第1位の工業国にのし上がります。

このようなアメリカに、旧大陸からたくさんの移民がやってきます。人口が増え

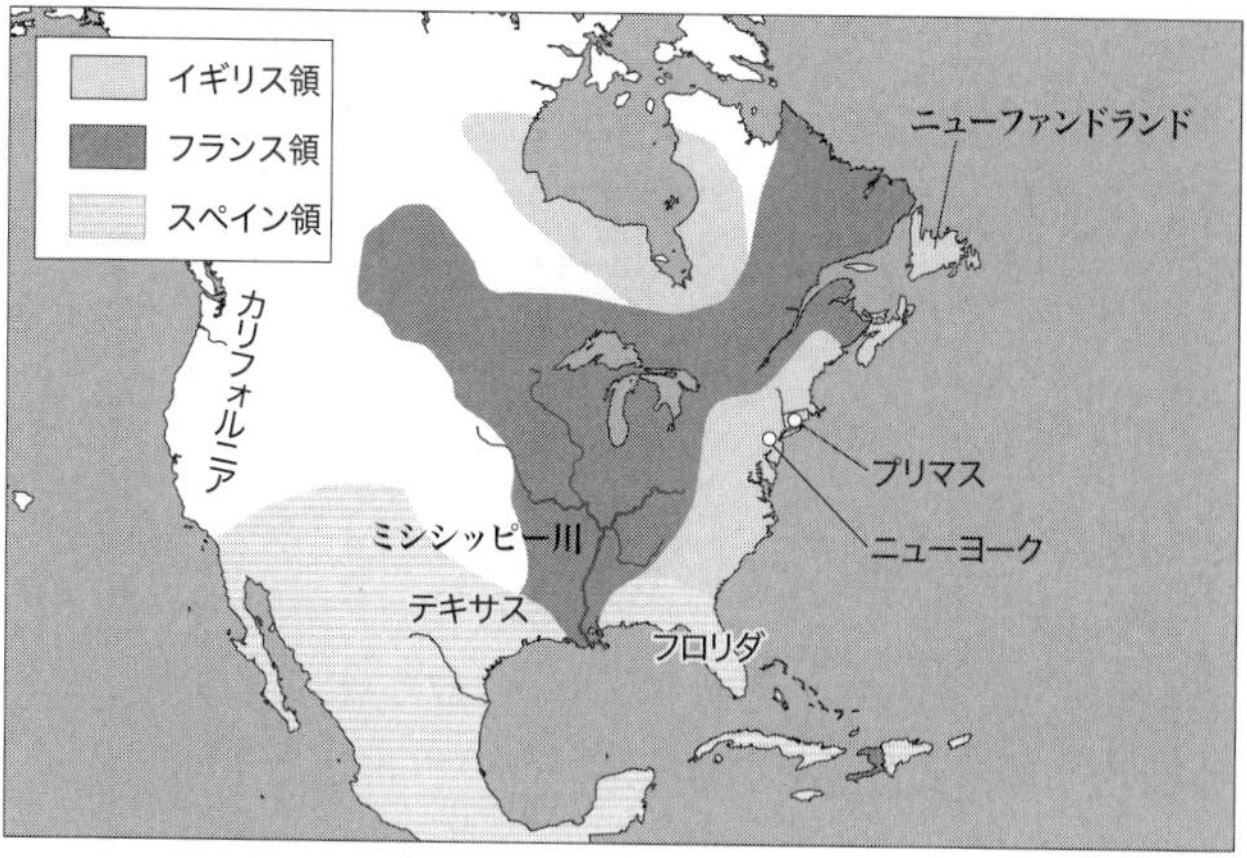

1713年時点の植民地

ると国内消費を刺激し、農業はいうまでもなく製造業もさらに発展します。

１８３０年代には54万人ほどだった移民が40年代になると１４０万人以上、さらに40年代半ばから50年代半ばの10年間には３００万人と推移していきました。この段階ではドイツやアイルランドからの移住者や、20～30代の若者が多かったことが注目されます。このような若い人々が生産の現場で、アメリカ生まれの労働者よりも安い給料で働くようになったため、両者の間に対立が生まれ、差別に拡大していきます。とくにアイルランド人はカトリックが多く、プロテスタントとの対立も深刻になりました。

そのような問題を抱えながら、いっぽうで、新生アメリカ合衆国は領土を西に拡大していきました。建国時には、東海岸の13植民地からミシシッピー川まで（東部ルイジアナ）を獲得していました。19世紀の初め、フランスからは西部ルイジアナを、スペインからはフロリダを購入します。メキシコ政府の募集に応じてテキサスに入植していたアメリカ人が、やがてメキシコの方針と対立しました。そして戦争に勝利して、テキサスを併合しただけでなく、カリフォルニアなども獲得します。カナダ（イギリス）との国境問題も解決されました。なお、アラスカの購入は１８６７年、ハワイの併合は１８９８年のことになります。

アメリカに渡ってきた人々には、工場労働者になる以上に農業に強い思いをもっている人々が多かったことが注目されます。西方に広がるフロンティアでは、インディオとの対立もあります。そのような危険があったものの、土地を獲得し、農業に従事することに夢をもっていた人々が多かったのです。このような西方へと拡大する行動は、神の導きによる「マニフェスト＝デスティニー（明白な運命）」として正当化され、それが彼らの心の支えになったのです。

ところで、19世紀前半の移民はドイツやアイルランド出身者が多かったことを述べました。両者ともにカトリックが多く、とくにアイルランドでのジャガイモ飢饉を機にした移民を目の当たりにしたプロテスタントのアメリカ人は危機感をもつようになります。反カトリック感情が沸き起こり、ノー・ナッシング党（アメリカ党）のような排外主義的な政党まで組織されました。このような状況で、社会的にも恵まれなかったアイルランド人のほうでも、いかに「アメリカ化」するかで苦しみました。余談になりますが、第二次世界大戦後に、第35代大統領になったケネディはこのアイルランド人移民の末裔《まつえい》です。彼の1代前の大統領アイゼンハワーは、ドイツ人移民の末裔になります。

いっぽうで、アメリカでは工業も非常な発展を遂げていきます。イギリスでは熟練した職人が機械や武器をつくりますが、できあがった製品に互換性はありません。しかしアメリカでは、労働者が指示された均質な部品をつくり、それを組み立てるという新しいシステムが導入されました。これは、綿繰《わたく》り機の発明で産業革命に貢献したホイットニーの功績です。また、農作業の効率を上げるためマコーミックは草刈り機を発明しました。また、シンガー社が製造したミシンは各家庭にまで浸透したのです。1851年のロンドン万国博覧会でこれらの機械が展示され、旧大陸の人々にアメリカへのあこがれを抱かせる一因となりました。

黒人奴隷と20世紀まで続く黒人差別問題

アメリカは移民の国ではありますが、みずからの意志で新大陸にやってくる以外に、強制的に連れてこられた人々もいます。いうまでもなく黒人奴隷がそれになります。彼らのなかには独立戦争に参加した者もいます。しかし、崇高《すうこう》な「独立宣言」の内容とは裏腹に奴隷解放は実現されませんでした。独立はしたものの、合衆国と旧本国イギリスの関係は深く、とくにイギリスの木綿工業を支えたのはアメリカ産の綿花でした。このため、南部の綿花プランテーションでは黒人奴隷が不可欠であり、19世紀、多くの国で奴隷貿易や奴隷制が廃止されたのちも、1860年までに合衆国には25万人ともいわれる黒人奴隷が輸入され、また黒人が産んだ子どもも奴隷として扱われました。

合衆国北部は産業が発展し始め、自由な労働者が求められるようになりますが、合衆国の建国の理念からして、奴隷制に反対する声も強くなってきます。黒人奴隷の反乱や、黒人奴隷を南部から北部に逃亡させようとした動きもあったのですが、併せて黒人を故郷のアフリカに帰そうという運動も高まってきます。その背後には、黒人を一掃してアメリカを白人の国家にしようという目論見《もくろみ》もあったのですが、実際に一部の黒人がアフリカに戻り、リベリア共和国をつくっています。しかし、南部のプランテーションでの黒人奴隷の需要は大きく、黒人を巡る問題は解決を見ません。

黒人奴隷を巡る問題は合衆国を二つに分け、１８６１年に南北戦争が起こりました。北軍の勝利に終わり、戦争中の奴隷解放宣言によって、合衆国の奴隷制度は消滅します。しかし、黒人の諸権利は拡大しませんでした。奴隷制度はなくなったのですが、今度は黒人への差別が始まったのです。憲法上は解放されても、州法では生活面の規制が加えられました。このような状態への抵抗は20世紀になると本格化します。第二次世界大戦後の公民権運動はキング牧師の指導などで大きな盛り上がりを見せ、１９６４年には公民権法が制定され、黒人への差別は法的にはなくなりました。しかし、現実の社会での差別は変わりなく続き、68年にキング牧師は暗殺されました。

19世紀にユダヤ人が大量に移住する

キリスト教とユダヤ教の関係は、歴史的にはいいものではありませんでした。アメリカ合衆国でもそのような時代がありましたが、現在、ユダヤ人・イスラエルとアメリカの関係は良好です。アメリカにいるユダヤ人の人口は550～600万人とされ、ユダヤ人の祖国イスラエルの人口とほぼ同じくらいとされています。このユダヤ人のアメリカ移住の歴史は17世紀以降と古いのですが、当初はさほど多いものではなく、19世紀の半ばで全米に30万人ほどであったとされます。当時はスペインやポルトガルからやってきた人たち（セファルディムといいます）が多く、19世紀の末になると、ロシア・東欧でユダヤ人への迫害が起き、東欧のユダヤ人（アシュケナジムといいます）が大量に移住し、200万人を超すユダヤ人が移住しました。

第二次世界大戦中、東欧系のユダヤ人はナチス＝ドイツの政策に危機感をもち、シオニズム（ユダヤ人国家の建設運動）に共感しますが、ドイツ系ユダヤ人は大きな危機感はもたなかったといわれます。しかし両者共に、ドイツ人も数多いアメリカで、大きな政治運動にしてユダヤ人への反感を招くことは避けていました。戦後、イスラエル建国には両者共に結束しました。しかし、イスラエルのパレスチナ難民への対応にはユダヤ人内部にも批判が出てきて、対立も生まれているようです。

そのユダヤ人のアメリカ政治に対する対応は一言では書けません。概して共和党より民主党支持者のほうが多いようです。実際、上院にも議席を得ていますし、下院では1割とまではなりませんが30人ほどの議員がいます。アメリカは彼らの祖国イスラエルを建国以来の盟友と位置づけ、トランプ大統領に至っては、イェルサレムが首都であると認め、友好関係のさらなる強化を図っています。

奴隷制度の廃止が、アジア系移民と新移民を呼び寄せる

広大なアメリカにとって大きな懸案は輸送手段でした。交通インフラの整備・充実が急がれたのです。19世紀前半、ミシシッピー川東方での鉄道建設は進みました。しかし、新しく領土になった「西部」にはロッキー山脈という難関があり、開発が遅れていました。そんなとき、カリフォルニアで金鉱が発見されると、ゴールドラッシュが始まり、ここで中国人をはじめとしたアジア系民族の移民が増えていきます。中国人やインド人は、黒人奴隷貿易の禁止に続き奴隷制度が廃止されると、

年季《ねんき》契約移民（クーリー）としてアメリカ大陸に渡ってきます。1850～80年の30年間で20万人にもなり、白人労働者の仕事を奪うとして反対意見も大きくなります。1882年、中国人労働者に対する規制が行なわれると、今度は日本からの労働者が増えました。

南北戦争後のアメリカには、東ヨーロッパや南ヨーロッパからの移民が増えます。さらに、第一次世界大戦による労働者不足がそれに輪をかけました。しかし、戦後それは一転し、1924年には厳しい移民規制法が出されます。日本人が排除されるのもこの法律によるわけで、日本の対米感情の悪化の一因になりました。

21世紀、アメリカンドリームは終焉《しゅうえん》したのか？

移民や難民問題は、世界経済のあり方と直接的にリンクします。現代のアメリカが移民に対して非常に厳しい対応をしているのは、アメリカ経済・社会が大きな曲がり角に来ていることの証明にもなります。アメリカにも貧困者がたくさんいるのですが、それ以上の貧困状態に置かれている国家が世界中にたくさんあり、簡単に解決される問題ではなくなっています。今日、ラテンアメリカ諸国の多くで見られる貧困と政治的混乱は、その国の人々に合衆国へのあこがれを大きなものにしています。

アメリカンドリームという言葉で示されるように、アメリカ合衆国は世界に夢を与える国でもありました。現代のアメリカはその夢をなくしてしまっているのでしょうか。

Chapter 19

中東エリア
14～21世紀

困難を乗り越えて祖国を建設したユダヤ人

概論

近現代でのユダヤ人・ユダヤ教は、ルネサンスや宗教改革、さらには啓蒙思想や市民革命という宗教、政治、社会の変動のなかでさまざまな影響を受けました。それらは、ユダヤ人にとってよい作用をしたこともあれば、事態を悪くした場合もあります。中世には、異端審問などのため多くの犠牲者を出しましたが、近現代では反ユダヤ主義が反セム主義という人種理論になって、ユダヤ人に大きな犠牲を強いました。そのようななかで出てきたのが「シオニズム」運動であり、ユダヤ人はアブラハムやモーセが目指したイスラエルの地に向かい、ローマによってディアスポラ（離散）を強制されてから2000年ぶりに、祖国の建設を実現しました。そのいっぽうで、数では本国を上回るアメリカ合衆国のユダヤ人の動きも注目されます。

ルネサンスと宗教改革では解放には至らない

14〜16世紀に興った「ルネサンス」という文化運動は、キリスト教にとってかならずしも歓迎されるものではありませんでした。もちろん、自由な表現方法で神の国を描いたり、イエスとマリアの親子の姿を美しく表現したり、壮麗な教会を建設したり、中世とは異なる視覚的キリスト教が「再生」され、教会にもルネサンス的明るさが出てきました。しかしそのいっぽうで、キリスト教成立以前のヘレニズム（ギリシア的思想や文化。ちなみにキリスト教・ユダヤ教的思想や文化はヘブライズム）という価値観は、人間の立場を強調するため、神を中心に考えるキリスト教にはなじめない部分もありました。そのような感情もあり、ヘブライ語の研究をする聖職者も出てきます。彼らが中世の反ユダヤ主義を批判し、ユダヤ文化の重要性を説くようになっていくのです。それが宗教改革にも影響を与えたことはいうまでもありません。

１５１７年、宗教改革の口火を切ったルターは、キリスト教徒によるユダヤ人迫害を非難し、彼らに人間的な対応をすることによってユダヤ人の改宗を期待しました。ところが、ユダヤ人がそれに応えなかったため、晩年になると過激な反ユダヤ主義者になります。シナゴーグ（ユダヤ教の礼拝・集会堂）を焼き払い、タルムード（ユダヤ教の口伝《くでん》律法と注釈をまとめたもの）を没収、ユダヤ人を強制収容し、強制労働に従事させるべきなどという過激な立場を主張するまでになりました。これを400年後に実践したのがヒトラーです。近世においては、教皇パウルス4世がユダヤ人をゲットー（ユダヤ人の指定居住地域）に隔離する制度をつくりました。1555年、アウグスブルクの宗教和議が締結された年のことです。ユダヤ人にとって、ルネサンスや宗教改革は解放にはつながらず、彼らの解放は19世紀以降にもちこされます。

ゲットーは16世紀初め、ヴェネツィアにできたのが最初とされます。すぐにイタリアはもちろん、オーストリア、ドイツ、フランスなどに広がっていきました。狭いところに多くのユダヤ人が収容されたため環境は劣悪で、しばしば疫病も流行しました。それでもユダヤ人の人口は増えていきます。ゲットー内にはシナゴーグと学校があり、ユダヤ人は当時の一般的なヨーロッパ人に比べるとはるかに高い教育を受けていたといわれます。その閉鎖空間のおかげで、ユダヤ人は自分たちの文化を守れたともいえるでしょう。しかし、ユダヤ人が被《こうむ》った精神的・肉体的苦痛は破壊的で、矮小《わいしょう》で狡猾《こうかつ》なユダヤ人のイメージもこの時代につくられていきました。

そんななか、イベリア半島のコンベルソ（隠れユダヤ教徒）は、ゲットーへの隔離は免れ、宗教裁判が比較的穏やかなポルトガルに集まります。折しもスペインからの独立を達成したオランダで信教の自由が認められ、ポルトガルからオランダへ渡ったユダヤ人がユダヤ教の信仰を復活させることになります。さらに、中世以来の伝統を背景にヨーロッパ経済を主導し始めたオランダ経済の一端を担いながら、商人としての成功を収める者も出てきました。彼らは、オランダ東インド会社の4分の1の株を有していたとされます。そんなユダヤ人の一部はイギリスに移り、イギリスの資本主義の発展にも重要な貢献をしたのです。

富裕なユダヤ人のなかには、17～18世紀になると特権を手にする者が出てきます。そもそもユダヤ人は財力をもち、経済的才覚に富んだ人物も多かったため、それに注目した貴族が彼らを顧問格で宮廷に呼んだのです。彼らは「宮廷ユダヤ人」と呼ばれ、特権も認められており、各地を結ぶユダヤ人のネットワークを最大限利用しながら活動範囲を広げていきました。ただし、権力をもったユダヤ人にも危険はあります。貴族が破産する場合もありましたし、一方的に解雇されることもあったようです。

18～20世紀、イギリスなどで大きな力を誇ったロスチャイルド家はそのようなユダヤ人の最大の成功例といえます。ただ、ユダヤ人がヨーロッパの経済を完全に支配していたというような「陰謀説」は正しいとはいえないようで、たとえば銀行業でも、ユダヤ資本の占める割合はさほど高くはないのが実情だったそうです。

「ドレフュス事件」に象徴される反ユダヤ主義

18世紀は啓蒙の時代になります。この啓蒙思想はユダヤ教にも影響を与えました。新しい動きが出てきた場所が、ユダヤ人の多く集まっていたオランダであったのは当然のことでした。ここでは、イベリア半島から移ってきたユダヤ人のセファルディムと、東欧からやってきたユダヤ人のアシュケナジムがときに対立し、そのなかから新しいものを模索していたといえます。17世紀にオランダに出たスピノザは、ユダヤ教の新しい傾向（ユダヤ啓蒙主義）の先駆けとなり、大きな刺激を与えました。

ドイツ（神聖ローマ帝国）でも三十年戦争後、領邦君主たちは国家の中央集権化を目指し、ユダヤ人を雇い入れるようになります。彼らのなかには「宮廷ユダヤ人」として物資の購入だけでなく、政治や財政の高級官僚への道を開いた者もいます。このことはユダヤ人の立場の改善にも役立ち、ユダヤ人自身も、ゲットーを離れることで、ユダヤ人以外の文化にも興味を示すようになり、とくに啓蒙思想は、ユダヤ人を刺激しました。ゲットーになお居住する同胞の解放を考えるようになり、ドイツ語やフランス語を学ぶようにもなりました。このような傾向に勢いを付けたのが、音楽家メンデルスゾーンの祖父モーセス（１７２９〜86）になります。

16世紀から続いていたユダヤ人へのさまざまな差別は18〜19世紀にかけてじょじょに解消されていきました。それを決定的にしたのがフランス革命で、１７９１年の国民議会はユダヤ人に平等の権利を認めました。これは、ローマによるイェルサレムの破壊から１７００年余り、差別の下に置かれてきたユダヤ人にとって画期的な出来事になりました。しかしながら、為政者が期待したのはユダヤ人が国民に同化してくれることであり、一般のユダヤ人への偏見は一朝《いっちょう》一夕《いっせき》では解消されませんでした。形を変え、セム系民族への人種的偏見として続いたのです（後述）。

フランスでは１８９４年にドレフュス事件が起こります。ユダヤ人将校のドレフュスが、プロイセン＝フランス戦争（1870〜71）以来のフランス内の反ドイツ感情の高まりのなか、そのドイツへ軍事機密を漏洩《ろうえい》したと冤罪《えんざい》をかけられた事件です。反ユダヤ主義の根深さが再認識されることになりました。

反セム主義への変化が生んだホロコースト

ドイツではナポレオンによる占領時代、一部地域でユダヤ人解放が実現しますが、ドイツ全体に広がったのは近代ドイツ帝国が成立してからのことです。そのドイツでは、第一次世界大戦で敗北し、大きな屈辱を味わうなかから、偏狭な国民主義が沸き上がってきました。それを導いたのがヒトラーです。20世紀最大のユダヤ人の受難は、ナチス＝ドイツによるホロコースト（ユダヤ人はショアといいます）になります。ヒトラーの時代、600万人のユダヤ人がガス室などで殺されました。それを象徴する場所が、ポーランド南部、古都クラクフ近くのアウシュヴィッツ（ポーランド名、オシフィエンチム）になります。

ヒトラーがドイツ民族の団結のため「アーリヤ人」を強調した理由を、ユダヤ人に代表されるセム系民族に対する、ヨーロッパ人のコンプレックスから説明することがあります。18世紀は啓蒙の時代ですが、聖書のもつ権威は大きなものがありました。そのなかで問題になったのが、ノアの子どもたち、セムとハムとヤペテです。ユダヤ人はセムの子孫とされ、エジプトそのほかのアフリカ系の人々はハムの子孫とされます。そうすると、アーリヤ人はヤペテの子孫ということになってしまいます。そして、ユダヤ人をはじめとしたセム系の民族が古代オリエント文明を発展させ、キリスト教まで生み出したのです。アルファベットとて、セム系民族の表音文字をまねたものです。ゲルマン民族の大移動前に、ユダヤ人がヨーロッパに入り込んでいた可能性も否定できません。ゲルマン人にとっては許しがたいことでした。

ヒトラーは、アーリヤ人のなかでもドイツ人こそが「超越した種族」と規定しました。その対極にあるセム系民族のユダヤ人（当時のヨーロッパでセム系といえばユダヤ人でした）を抹殺することで、自分たちのアイデンティティーを確認しようとしたのです。しかし考えてみれば、イギリス人やフランス人もアーリヤ人であり、諸国はドイツのこのような身勝手についていけなくなります。第二次世界大戦はドイツの敗北に終わり、それとともに、ヨーロッパ人をアーリヤ人ということもなくなりました。

シオニズムが実を結び、イスラエル建国が実現

先にフランスで起きたドレフュス事件のことを書きました。これがユダヤ人に、祖国復帰運動を起こさせる大きな原因の一つになります。同時に、19世紀のロシアでもユダヤ人は排斥されるようになっていました。ロシアへのユダヤ人の移住は古く、古代ロシアのキエフ公国が10世紀にコーカサス北部のハザール王国を攻めたとき、現地住民にユダヤ教徒がいたという記録もあります。

ロシアが多くのユダヤ人を抱え込むのは18世紀の末、ポーランド分割（Chapter10参照）でポーランドの東部を併合したことによります。これで90万人のユダヤ人がロシアの領土に入ったことになります。ロシア支配下のユダヤ人は宗教の違いから差別され、不自由が強制されました。1881年の、ロシア皇帝（ツァーリ）アレクサンドル2世暗殺事件にユダヤ人が関わっていたということで「ポグロム（虐殺）」が始まりました。ユダヤ人を公職から差別する法律が制定されただけでなく、ユダヤ人100万人の追放が決定されます。当時のロシアには世界のユダヤ人の3分の1が住んでいたともいわれ、このときの体験がシオニズム運動の根底になっていき

ました。

ところで、このシオニズムは、ユダヤ人の祖国復帰運動と説明されますが、実際はそれほど簡単なものでもありません。19世紀は国民主義が勃興していた時代で、ほかの民族によって支配されている民族が、独立してみずからの国民国家を立ち上げるのが一般的でした。ところが、ユダヤ人の場合、迫害の少ない地域に逃れ、そこで生活圏を建設してきた歴史があります。そのため、イスラエルでの国民国家樹立を強く願う人々ばかりではありませんでした。ユダヤ民族の精神性の復活を求めた人々もいまし

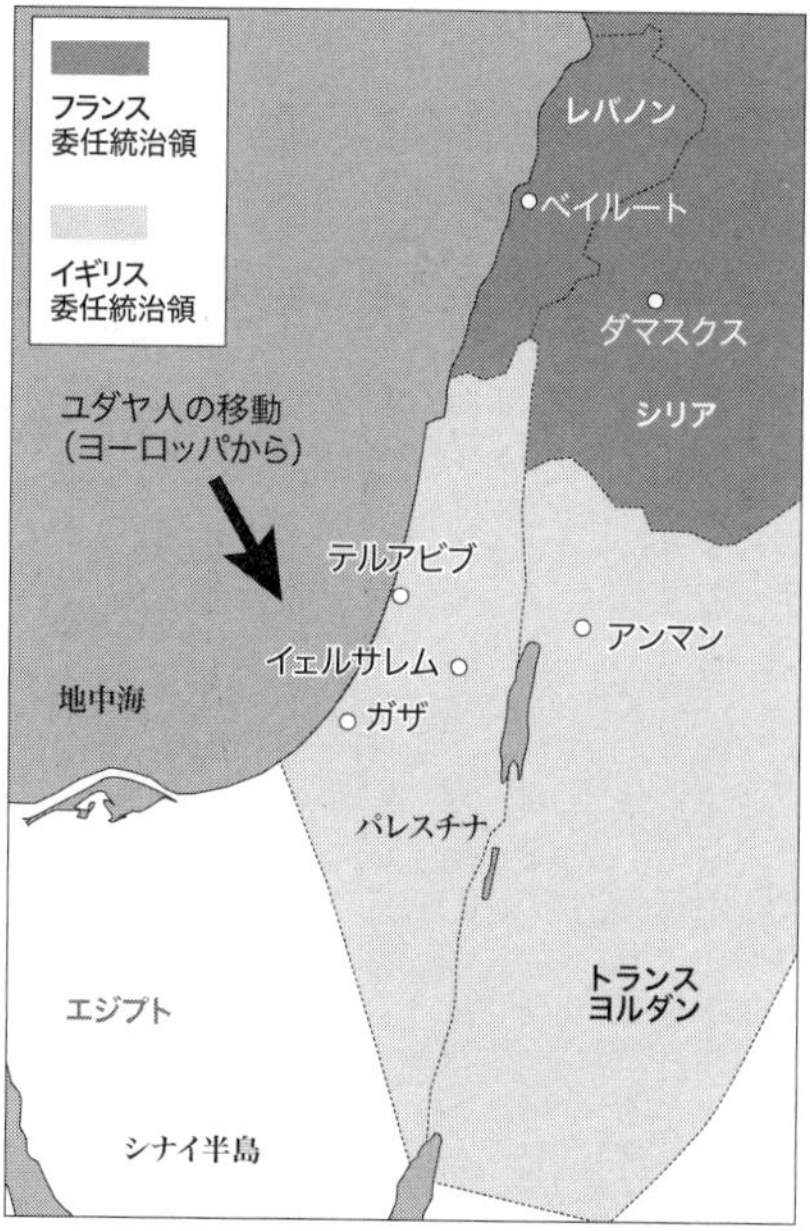

第一次大戦後、イギリス委任統治領には、少ない年で2000人程度、多い年には4万人以上が移住していた。パレスチナ分割案が可決されると、その勢いはさらに加速した

たし、各国で平等が実現されたらそれでもいいという立場もありました。立ち消えにはなりましたが、アフリカ東部のウガンダに新国家をという声もあったほどです。

しかし、ロシアでの迫害やドレフュス事件を見たテオドール＝ヘルツェルは、19世紀末にスイスのバーゼルで第1回シオニスト会議を開催し、ユダヤ人にイスラエルへの復帰を呼びかけました。当時の中東はオスマン帝国の支配下にあったのですが、農業施設は破壊されており、経済的に注目されるような場所ではなくなっていました。それでもオスマン帝国やエジプトの政治上の混乱を避けて、クルド人やエジプト人などの一部が入植していましたし、ユダヤ人のなかにも、ロシアでの迫害を逃れてこの地に移住する者がいました。ヘルツェルと共にシオニスト運動を主導したワイツマンの働きかけで、ユダヤ人の大資産家ロスチャイルド家などの支援を得たこともあり、運動の賛同者はじょじょに増えていきました。しかし、オスマン帝国はこれを規制します。

帝国主義時代、中東の地はイギリス、フランス、ロシア、ドイツの角逐《かくちく》の場になります。このときのイギリスの外交が、のちに多くの問題を残すのです。第一次世界大戦中に、アラブの国家建設を約束したフサイン＝マクマホン協定、1916年

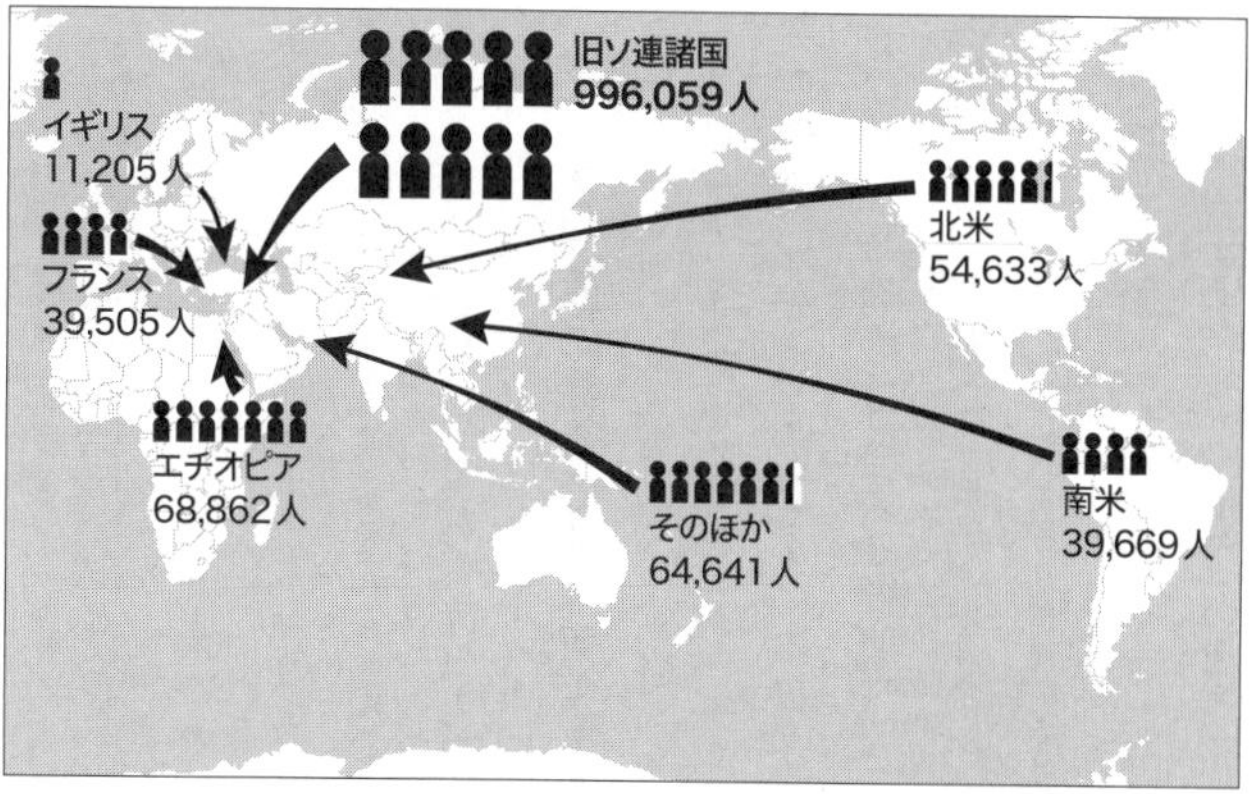

1989〜2009年の20年間のイスラエルへの移住者数。旧ソ連圏からが突出して多い。イスラエルと並んで多くのユダヤ人が暮らす北米からは、さほどでもない

に英露仏3国で中東の地の分割を約束したサイクス＝ピコ協定、そして1917年にユダヤ人の民族国家の成立を約束したバルフォア宣言がそれにあたります。それぞれの内容が、ほかの協定・宣言と矛盾していました。バルフォア宣言が追い風になり、ユダヤ人のパレスチナ移住が増えていきます。同時に、アラブ人との対立も激化することになりました。戦後、アラブの反対にもかかわらず、国際連合ではユダヤ人とパレスチナ人双方の国家建設を認めるパレスチナ分割案が可決されました。それを受け、1948年にイスラエルが誕生したのですが、これ

が引き金となり、以後4回の中東戦争が行なわれます。アラブ諸国の利害の不一致にも助けられ攻撃を退《しりぞ》けたイスラエルは、この地域での立場を固めていきます。

しかし、イスラエルとアメリカのユダヤ人人口がほぼ同じ600万人ほどという現実は、同じユダヤ人でもイスラエルへの思いが一様ではないことを示しています。長く移動を強制されてきた歴史のなかで、各地で生活の基盤をつくってきたユダヤ人にとって「復活」されたイスラエルが、かならずしも「祖国」とはいえないのです。

3宗教に共通の神は何を思うのか

古代オリエントの歴史は、ピラミッドに代表されるエジプト文明と強大な国家の興亡が続いたメソポタミアに目が向いてしまいがちです。その中間地帯になるシリアやパレスチナはあまり問題にされません。しかし、そこでも諸民族の対立や興亡が続いていました。さらに、その時代に始まった関係が、今日まで連続しているのです。ユダヤ人のように離散しながらも戻ってきた民族がいるいっぽうで、この地域で歴史を築いてきた民族もいます。それぞれ心の拠り所をもって国家・集団をつくっています。その拠り所を主張することは、しばしば対立を生みます。ユダヤ教やイスラム教、キリスト教は共通の神を信仰しているわけで、パレスチナは共通の聖地です。神は、この対立をどのような眼で眺めているのでしょうか。

Chapter 20

南欧エリア
1世紀〜現代

欧州の火薬庫になったバルカン半島

概論

第一次世界大戦は、1914年にバルカン半島で起きたサライェヴォ事件が発端になりました。具体的にはオーストリアの皇太子夫妻がセルビアの愛国青年に暗殺された事件です。オーストリアという国家名はともかく、「セルビア」という国名は日本人にとっては、あまりおなじみではないかもしれません。セルビアは、第一次世界大戦後、セルブ＝クロアート＝スロヴェーン王国を経てユーゴスラビアと国名が変わり、現在ではふたたびセルビアが復活しています。さらに、旧ユーゴスラビアの地域にはセルビアだけでなく、クロアチアやスロベニアといった国家も誕生しました。ユーゴスラビアが解体したのちに、一挙に六つもの国家が生まれた背後には、この地域に複雑な民族・宗教問題があったことが浮かび上がってきます。

東ローマ（ビザンツ）帝国と、オスマン帝国の影響を強く受ける

地理的に「バルカン」半島とはドナウ川とサバ川の南方一帯を指します。この呼び名が一般化するのは20世紀になってのことです。語源はトルコ語で「樹木に覆われた山」とするのが一般に認められているようです。ここで、「どうしてトルコ語？」と思われる方もいるでしょう。この地帯は14世紀以降、オスマン帝国の支配を受けていたのです。中世には、この地域にそれぞれの民族国家が存在していました。オスマン帝国の支配を受けて以降も、諸民族の動きは自由であり、諸民族が現在の国境とは関係なく移住をくり返し、各地に住み着いてしまったという事情があります。そしてこのことが、19世紀以降の国民国家の時代に、諸民族が相対立する根本的な原因となるのです。

バルカン諸国は具体的に、東側には北から南に、モルドヴァ、ルーマニア、ブルガリア、ギリシアがあります。西側には旧ユーゴスラビア（スロベニア、クロアチア、ボスニア・ヘルツェゴビナ、セルビア、モンテネグロ、北マケドニア）6カ国とアルバニアがあります。「ユーゴスラビア」とはまさしく「南スラブ」民族の国であり、

ここでも中心的に扱います。そして、ここに挙げた諸国に共通する問題として、東ローマ（ビザンツ）帝国とオスマン帝国の影響を強く受けていることを指摘しておきます。そのため、この地域で微妙な立場になるのがハンガリーです。ここでは関連して紹介するにとどめます。

この地域の先住民はアルバニア人とルーマニア人でした。とくにルーマニア人はもともとこの地域にいたダキア人と、侵入してきたローマ人との混血とされ、国名・民族名に「ローマ」（ルーマ）が見て取れます。ルーマニア語もロマンス語（ラテン語の俗語から派生した言葉）系に区分されています。アルバニア人は、古来、アドリア海沿岸に住んでおり、のちに、移住してきた南スラブ系民族と同化していきました。

南スラブ系民族は、旧ユーゴスラビアとして紹介した六つの国の民族が中心です。そのうちのセルビア人とモンテネグロ人はもともと同じ民族でした。しかしセルビア人は平野部に、モンテネグロ人は山岳地帯に住み着いたため、言語と宗教は同じでも、その後の歴史のなかで区分されるようになりました。

その南スラブ系諸民族が、旧ユーゴスラビア地域に住み着くのは6世紀頃になります。ヨーロッパ中世の民族移動は4世紀後半、フン族が東方から西進してきたことがきっかけとなり、いわゆる「ゲルマン人の大移動」が始まります（Chapter7参照）。

南スラブ系民族のバルカン移住と、中世の南スラブ諸国

南スラブ系の諸民族がバルカン半島に移住してくるのは6世紀以降で、それ以前のバルカン半島はローマ（東ローマ）帝国の支配下にありました。この地域は交通の要衝でもあり、過去、民族移動の波にさらされてきました。古代のローマ帝国や、14世紀以降はオスマン帝国の支配を受けます。その間の中世には、セルビアやブルガリアなど強勢を誇ったスラブ系民族もいました。

ローマ帝国時代、五賢帝の2番目のトラヤヌス（在位98～117）はドナウ川を越えてダキア人の住む地域を支配しました。このとき、ダキア人はローマ化され「ルーマニア人」を形成していきます。3世紀頃になると、そのダキアと呼ばれた地方、ドナウ川の北岸にゲルマン人のゴート族が入ってきました。4世紀の後半になって、そのゴート族を東方から圧迫したのがフン族(匈奴《きょうど》の末裔《まつえい》という説があります)です。

フン族に圧迫された東ゴートが、西ゴートを圧迫し、西ゴートがドナウ川を越えてローマ領内に入ったのが、いわゆるゲルマン人の大移動の始まりになります。フン族は、ハンガリー（当時はパンノニアといいました。ドナウ川の大湾曲地帯）を拠点に各地に進出しましたが、5世紀の半ばに、フン族のアッティラ王はイタリア半島に向かい、ローマをうかがいました。このときは教皇レオ1世の説得を受け引き返しますが、その直後にアッティラ王は急死し、フン族の集団は瓦解します。その後に国家を建設したのがゲルマン系のゲピデ族（王国）で、そのゲピデ族を滅ぼすのがアヴァール人です。

アヴァール人は柔然《じゅうぜん》（5～6世紀に栄えたモンゴル系の遊牧民族）の末裔ともいわれる遊牧民です。北アジアで使われていた「汗《ハン》」の称号を彼らも使ったので、アヴァール＝カガン国といいます。このアヴァール＝カガン国は、ドニエプル川上流域（ウクライナ）からヴィスワ川上流域（ポーランド）にいたスラブ系民族も支配下に入れました。彼らから戦術を学んだスラブ系民族は東ローマ領内に侵攻し、じょじょにその地に住み着いていきました。

バルカン半島西部にはクロアチア人やスロベニア人、セルビア人がいます。一番西にあったスロベニア人は、ドイツの強い影響を受けます。カトリックを採用したのもそのためです。クロアチアは、東ローマ帝国とフランク王国の間にあったことが幸いして9世紀に王国を建設しました。しかし、ハンガリーを経てオーストリアの支配下に入り、スロベニア同様カトリックが多くを占めるようになります。

ここで時間が少し前後します。5世紀の半ばにフン族の脅威がなくなったところで、西ゴート族はイベリア半島方面に移り、東ゴート族がバルカンに侵入し始めます。東ゴート族と東ローマ帝国は同盟関係を結んだりしていたのですが、ここで東ローマ帝国は彼らをイタリア半島に追い払いました。その後に、トルコ系といわれるブルガール族が入ります。彼らは東ローマ帝国と対立する過程でスラブ系民族と同化し、7世紀に国家（ブルガリア）を建設しましたが、11世紀には東ローマ帝国に併合されます。のちに第4回十字軍（1202～04）のときの混乱期に独立を回復しましたが、14世紀にはオスマン帝国に併合され、独立を果たすのは1908年のことになります。

この地域で一番重要な意味をもつスラブ系民族は、セルビア人になります。彼らは東隣りのブルガリア人や東ローマ帝国の影響でギリシア正教を受容しました。建国年代を特定するのは難しいのですが、12世紀頃に独立し、14世紀にはステファン＝ドゥシャン王の下で最盛期を迎えました。しかし大王の急死後、同世紀後半に彼らの本拠地のあるコソヴォで戦い、オスマン軍に敗北し、以後オスマン帝国の支配下に組み入れられます。オスマン帝国のミッレト（広範な自治が認められました）制度の下で、その支配を受け入れていたセルビア人も、オスマン帝国の弱体化のなかでナショナリズム（国民主義）を高揚させていきました。

最後に残ったボスニア・ヘルツェゴビナは少し面倒です。クロアチア人とセルビア人が混在しているのですが、カトリックとギリシア正教、そしてオスマン帝国下で増えてきたイスラム教が混在し、問題を複雑にします。ただし、ボスニアとヘルツェゴビナの歴史はそれぞれ違うのですが、ボスニア王国としてまとめられてきており、地域の一体性を守ることは宗教・民族などを超えた前提条件になっています。ブルガリアの完全独立が認められた1908年に、この地方はオーストリアが完全併合しますが、それに対するセルビア人の不満がサライェヴォ事件につながったのです。

ナショナリズム（国民主義）の高まりと、オスマン帝国の衰退

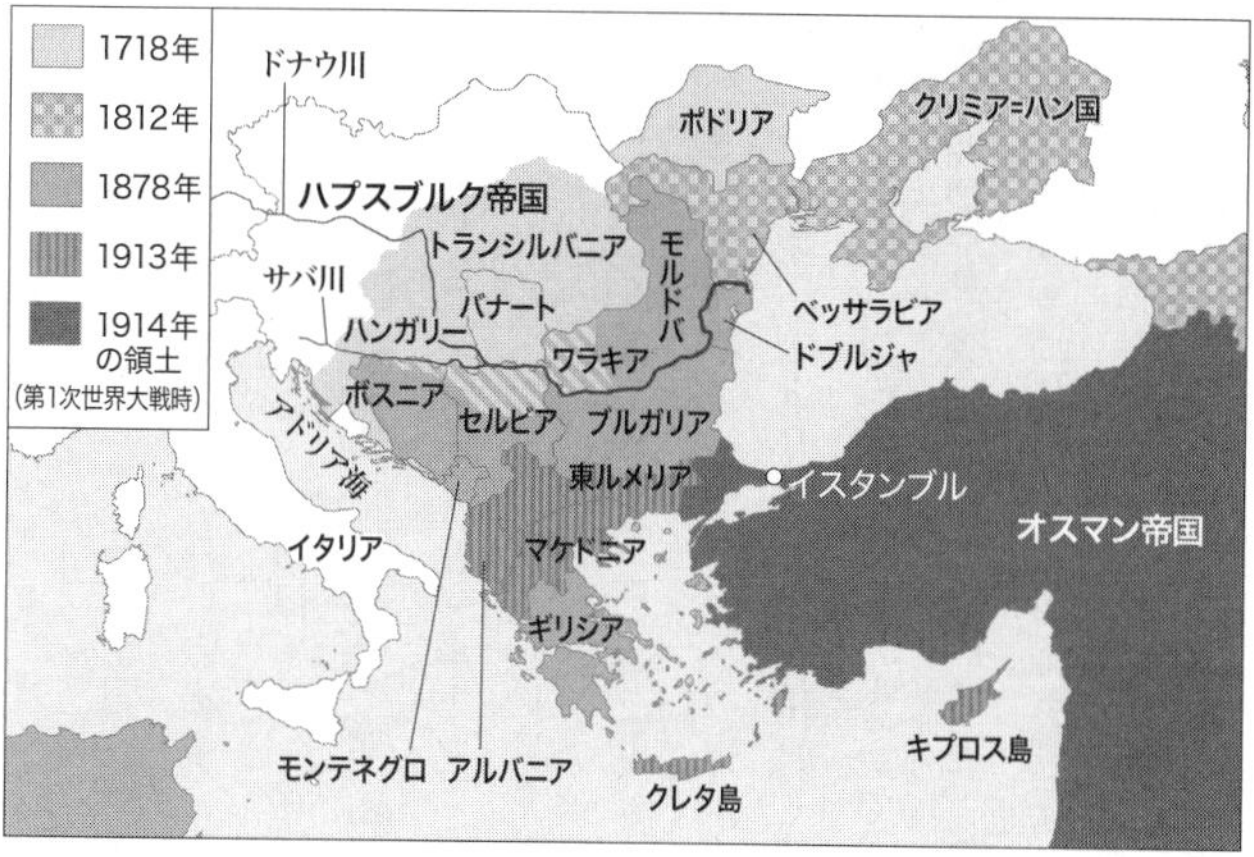

オスマン帝国の衰退とバルカン半島

バルカン半島からアナトリア高原（小アジア、オスマン帝国の本来の拠点）、中東世界、北アフリカ一帯は16世紀の初めにオスマン帝国の支配下に入りました。バルカン半島に関してはそれ以前も含めておよそ500年余り、大きな混乱は起きませんでした。オスマン帝国のミッレト制度がその一因であったことは確かなのですが、19世紀になるとその安定が大きく崩れていきます。オスマン帝国自体が弱体化していたことが一番の原因ですが、フランス革命からナポレオン戦争によって生まれてきた国民主義は、バルカン半島にも強く影響しました。

オスマン帝国からまず独立を果たした

のがギリシアとエジプトです。この二つの国家だけではなく、ほかにも独立を主張した民族もいます。セルビアは19世紀初め、2度にわたって独立に向け蜂起しましたが、いずれも弾圧されています。

いっぽうのオスマン帝国でも、帝国の強力な立て直しのため改革を行ないましたが、多民族国家を統一していく理念は見つかりません。1877年の露土戦争後、セルビア、モンテネグロ、ルーマニアが独立、ブルガリアの自治国化が承認されます。さらに、1908年にブルガリアが独立、1912〜13年の2回のバルカン戦争の結果、アルバニアが独立を果たしました。しかし、オーストリア＝ハンガリー帝国の支配下にあったクロアチアとスロベニアの独立はならず、ボスニア・ヘルツェゴビナはオーストリアが完全併合しました。サライェヴォ事件の直接的原因はここにあります。諸民族の独立のなかで、オスマン帝国は統一を維持するための新しい国家理念を最後までもてないまま、第一次世界大戦後の革命によって政教分離国家となる、トルコ共和国に再編されました。

第一次世界大戦ではドイツ帝国だけでなく、オーストリア＝ハンガリー帝国、オスマン帝国、ロシア帝国が崩壊しました。そしてバルカン半島にいた南スラブ族はセルブ＝クロアート＝スロヴェーン王国にまとめられ、さらにそれがユーゴスラビア王国となり、第二次世界大戦後にはユーゴスラビア社会主義連邦共和国に再編されたのです。

20世紀末に東欧革命が起こり、内戦が続発する

1991年のソ連崩壊に先立って、東ヨーロッパ諸国は社会主義体制を捨て、解放感にあふれていました。しかし、旧ユーゴスラビアの混乱はここから始まります。以前には、ソ連とも対等にわたり合ったカリスマ的指導者チトーがいました。彼はすでに亡くなっており、社会主義も崩壊した段階で、旧ユーゴスラビアを一つに結び付ける必然性も共通理念もなくなりました。六つの共和国はすべて独自の歴史意識をもっており、それが国民意識となって主張され始めたのです。

そのなかで、セルビア人の動きがとくに注目されます。19世紀以来のナショナリズムの中心にあったのが、セルビア人だからです。そのセルビア人は大セルビア主義を掲げます。すなわちセルブ＝クロアチア語を話す者は、カトリック、ギリシア正教、イスラム教という宗教の違いを越えてセルビア人であるとして、セルビア人

国家の建設を主張したのです。かつ、セルビア人は、旧ユーゴスラビア内の各地域に居住していたため、それらが分離独立ということになると、強く反対し、いくつもの内戦が起きました。

旧ユーゴスラビアの西端にあるスロベニアはセルビア人が少なかったこともあり、ほとんど戦闘がない10日戦争で独立が決まりました。ところが、クロアチアにはセルビア人が多かったこともあり、内戦が長引き、足掛け5年の戦いの後にセルビア軍は撤退しました。スロベニアもクロアチアも、イタリアやオーストリアに近かったこともあり、カトリックが多いという共通点があります。

それに対し、中央部のボスニア・ヘルツェゴビナはイスラム教徒（ムスリム人とかボシュニャク人といいます）が多く、宗教上の問題も絡んで内戦は長引きました。1992年にボスニア・ヘルツェゴビナが独立を宣言すると、セルビア系の住民が多い地域はスルプスカ共和国を樹立し、これをセルビアが支援しました。

この内戦の過程で起きた最大の悲劇がスレブレニツァ虐殺事件です。中立地帯と目されていたスレブレニツァをスルプスカ軍兵士が攻撃し、8000人が犠牲になりました。さらに民族浄化の名目で女性の性的被害者も出ました。国連やEC（のちにＥＵ）の調停も功を奏さず、１９９５年までに20万人の死者を出し、ボスニア・ヘルツェゴビナとスルプスカ共和国の「連邦体制」を樹立して、戦闘には終止符を打ちました。

コソヴォ紛争が、アルバニアとマケドニアを揺さぶる

旧ユーゴスラビアの一角にあるマケドニアも多くの問題を抱えます。ブルガリア、セルビア、コソヴォ、アルバニア、ギリシアに囲まれた内陸国で、いずれとも問題が出てきます。とくにこの国の「国名」と「民族名」、そして「歴史・地理」的要因が混乱の一因になります。たとえば、マケドニアの名前から古代のアレクサンドロス大王を思い起こされる方も多いと思われます。しかし、現在でいうマケドニア人は南スラブ系民族で、ギリシア系のマケドニア人ではありません。そのため、ギリシアはこの国名を使うことに難色を示していました。ギリシア人にとっては古代の「ギリシア・マケドニア」は誇り高い呼び名だからです。ただし、近年「北マケドニア」の名称で決着が付きました。

マケドニアの抱える問題はそれだけでなく、コソヴォやアルバニアとの国境地帯

に住むアルバニア人の動きもあります。もともと、アルバニア人は、セルビア南部のコソヴォ自治州にもたくさん居住していたため、アルバニア人も独立を目指します。しかし、それを認めるとセルビアの領土が縮小するだけではすみません。コソヴォ地域はそもそもセルビア国家の発祥の地なのです。14世紀、オスマン帝国との間で行なわれたコソヴォの戦いでの敗北は、セルビア人のナショナリズムの原点であり、心に刻み込まれています。そのアルバニア人の多いコソヴォの独立は絶対に認められません。ところが、国際世論の支援も得てコソヴォは独立を達成しました。しかし、コソヴォもアルバニアも国際世論を気にし、合併して一つの国家になることは実現されないままにあります。

21世紀に芽生える「ユーゴスラビア人」感覚

旧ユーゴスラビアを構成していた国家、民族、宗教、言語、文字などを分類することは簡単なことです。しかし、そのどれか一つを取り上げるだけでも緊張が走るのがバルカン半島です。はたしてこの地域に平和の到来はありうるのでしょうか。この世界にも「ユーゴスラビア人」という新しい感覚が芽生えているといわれます。

希望になるかどうかはまったく不明で、簡単なことではないのですが、対立を続けることによる犠牲は甚大なものになります。かつて、オスマン帝国という巨大な権力の下であったとはいえ、諸民族・宗教が融和され、平和が続いた時代がありました。その支配が終わり、負の遺産が暴《あば》き出されるのはやむをえない一面です。それを踏まえてなお、プラスの方向に向けていくのは、人間にしかできないことではないかと思われます。

Chapter 21

中央アジアエリア
前6世紀〜現代

ペルシア語を守り続けたイラン人

概論

イランは長い歴史を持つ国です。前18世紀、今から3800年も昔のことになりますが、今のイラクにあった古バビロニア王国にハムラビ王が出て「目には目を、歯には歯を」で有名な法典をつくりました。この法典は、バビロニア王国の都ではなく、現在のイラン南部のスーサで1901年に発見されました。前12世紀、この地域にいたエラム人がバビロンを攻撃、戦利品として奪ったとされています。近代においては親米政権だったパフレヴィー朝を倒した1979年のイラン・イスラム革命が世界に衝撃を与えました。さらに、それに続くイラン・イラク戦争、核開発問題など、中東のみならず、国際政治でも独自のスタンスを貫くイランは目が離せない存在になっています。

アケメネス朝、パルティア、ササン朝、東西の交易を担う

イラン人の先祖が中央アジアからイランの地に移動してきたのは前2000年ころと考えられます。前6世紀にはそのイラン（アーリアからなまった）人はアケメネス朝ペルシアを建国、古代オリエント文明の中心地のみならず、中央アジアのアム川流域までを支配しました。この王朝で整備された「王の道」は駅伝制を備え、中央集権に貢献しますが、この時代は交易がさかんであったことも示しています。アフガニスタンのラピスラズリはイランを経由してエジプトにまで送られていたのです。

前4世紀、マケドニア（ギリシア）のアレクサンドロス大王がアケメネス朝を滅ぼし中央アジアから北西インドまでを支配下に置き、ここにヘレニズム文化が生まれました。しかしアレクサンドロスの死後、この大帝国は分割され、イランを中心にした地域にはセレウコス朝が成立しました。この王朝の支配者はギリシア人です。中央アジアにもギリシア系の国家バクトリアができましたが、これがイラン人を刺激しました。

前3世紀中ころ、カスピ海南東にいたイラン系遊牧民がアルサケスに率いられ、パルティアを建国しました。この時代、農耕民と遊牧民の文化的融合が進み、アラム文字でペルシア語を記述する中世ペルシア語が形成され、公用語に使われるようになりました。ただし、イランの伝統宗教ゾロアスター教の普及が十分ではなかったことは王の名に「ミトラ神（古代のインド・ヨーロッパ語族の間に伝えられた光、盟約、正義の神）に与えられた者」を意味するミトラダテスを名乗る国王がいたことから説明されています。

パルティアでもアケメネス朝の制度をまねて中央集権体制の確立が図られましたが、遊牧民の有力家系の連合体という性格は変わらず、ローマとの戦争が一進一退をくり返すなかでじょじょに弱体化していきました。しかし、パルティア時代に世界は大きく変わります。ユーラシア大陸の東西でローマと中国が強大な国家をつくり上げていったのです。それぞれが東方や西方の奢侈《しゃし》品などを求めて進出を始めます。前2世紀に前漢の武帝が張騫《ちょうけん》を大月氏に派遣したことはシルクロード形成のきっかけになり、後漢では班超《はんちょう》が派遣した甘英《かんえい》がパルティアの妨害でローマに至れなかったのは、その利益を守りたいパルティアの危機感があったともいわれます。

226年、パルティアに代わったササン朝ペルシアではアケメネス朝以来のイランの文化が復活されます。陸上の東西交渉だけでなく、海上交易もアラビア半島を含めてさかんであり、ゾロアスター教は復活、古代イラン文化の最盛期を迎えました。西方ではローマ帝国との戦いが続き、東方では5~6世紀、中央アジアのエフタルの侵入がありましたが、これは突厥と結んで撃退しました。しかし、軍事費のための重税により農民が困窮すると、国家が不安定化します。7世紀、南方から拡大してきたアラブ人によって、642年、ネハーヴァントの戦いで敗れ、ササン朝は滅亡。イラン人はその後長期にわたって政治の表舞台から姿を消します。

アラブ人の支配とイスラム化

ウマイヤ朝(661~750)の成立はイスラム世界の分裂の始まりになります。イスラム世界の中心になるカリフの地位はウマイヤ家が世襲することになったのですが、これに不満な人々がムハンマドの家系に属するものこそがカリフになるべきとしてシーア派を分派させます。なお、シーア派に対し、ムハンマドの言行(スンナ)を大切にしていく信者たちをスンナ派といいます。具体的には言行(スンナ)とは、ムハンマドの言葉や行為、決定を指します。ウマイヤ朝のもとでイラン人のイスラム改宗も徐々に進むのですが、イラン人はシーア派を採用しました。このため、アッバース家を中心にした反ウマイヤ運動にはイラン人も協力しました。

750年に成立したアッバース朝はシーア派を採用するはずだったのですが、現実にはスンナ派が圧倒的に多かったためスンナ派を採用、シーア派の反抗は弾圧されました。アッバース朝はイラン人の協力で中央集権的体制を完成させていきました。首都バグダードが建設されますが、ウマイヤ朝時代のダマスクスに比べ、東方に移っており、アッバース朝のイラン重視の傾向がうかがえます。

そのイラン人が、独立の王朝を作るようになります。その最初が9世紀の初めイランの東部に成立したターヒル朝です。アッバース朝もターヒル朝も同じ「朝」ですが両者の間に大きな違いがあります。前者の君主はカリフですが、後者はアミールといい軍隊の司令官です。カリフとアミールの関係は主君と臣下のようなものですが、アッバース朝滅亡後は地方の君主たちの称号になります。このターヒル朝を滅ぼすのもイラン系のサッファール朝です。

ターヒル朝に続いてイラン東部に君臨したのがサーマン朝、さらに続いてイラン西部にブワイフ朝が成立します。そして、サーマン朝はガズニー朝によって、ブワイフ朝はセルジューク朝によって滅ぼされますが、これらはともにトルコ系の王朝になります。なお、ブワイフ朝は穏健なシーア派を採用していましたが、945年、バグダードに入りアッバース朝から実質的な独立を認められたともいえます。

アラビア文字で書かれたペルシア語が文化を醸成

イラン人農耕民は地に根を張った生活を続けていましたが、イランの周辺のみならず、10世紀以降、イラン人自身も周辺から侵入する異民族の支配を受け続けます。トルコ人だけでなくモンゴル人もいるのですが、異民族による支配は19世紀まで続きます。しかし、イラン人はそのような状況でもイラン文化を維持していきました。

中央アジアに進出してきていたトルコ系遊牧民は、その勇敢さと巧みな騎馬戦術によってアッバース朝の兵士（マムルーク）として活躍していました。アラル海周辺にいたセルジューク族は11世紀初めに建国、イランに入りブワイフ朝を滅ぼし、さらに1055年にはバグダードに入りアッバース朝のカリフからスルタン（イスラム世界で世俗の最高権力者）の称号を得ました。

この間イラン人は政治的には低迷しますが文化的には発展します。イスラム教に改宗したイラン人はアラビア文字でペルシア語を記述するようになります、これが近世ペルシア語といわれ、この時代多くの作品が残されました、中でも有名なのはサーマン朝時代の詩人であるフェルドゥシーが古代からのイランの国王を紹介した『シャー＝ナーメ（王書）』です。また、セルジューク朝のマリク・シャーに仕えたイラン人宰相ニザーム・ムル・ムルクも『統治の書』を残しています。また、アラブ・イスラム文学の傑作『千夜一夜物語』も始まりはササン朝時代のもので、それにバグダードやカイロで多くの物語が加えられてできあがっていきました。

13世紀のユーラシア大陸はモンゴルが席巻した時代です。13世紀の中頃から1世紀、イランを中心にした地域に君臨したのはイル＝ハン国で、最初はキリスト教ネストリウス派を保護しましたが、ほかのモンゴル系諸国と同様にイスラム教に改宗しました。このイル＝ハン国を継承して中央アジアに大帝国を打ち立てたのがチムールです。

イル＝ハン国の隣国であるチャガタイ＝ハン国の有力家系出身のチムールは中央

アジア全域を統一、イランを中心に、北は南ロシア、南は北インド、そして西ではオスマン帝国を破ってシリア地方までを支配する大帝国を打ち立てました。

チムール帝国を支えたのはトルコ人とモンゴル人の軍事力とイラン人の経済力でした。トルコ人やモンゴル人は遊牧民で、各地を動きますが、イラン人の感化も受け都市を建設、そこにイランの影響を受けたイスラム建造物も残します。サマルカンドのチムール廟はその最大の歴史遺産になります。

このチムール帝国滅亡後、イランの歴史は大きく変わります。

シーア派の信仰を定着させたサファヴィー朝ペルシア

14世紀、イル＝ハン国の勢力が弱まってきた頃にトルコ系の騎馬民族が、アゼルバイジャン地方にカラ＝コユンル（黒羊朝《こくようちょう》）を、その西方からアナトリアにかけての地域にはアク＝コユンル（白羊朝《はくようちょう》）をそれぞれ建てました。この二つの王朝は15世紀中頃に統一され、一時イランやイラクに君臨しました。

アク＝コユンルの一地方から出てきたイスラム教の神秘主義教団の教祖イスマーイールはイラン人ですが、トルコ系の遊牧民を率いて決起し、１５０１年にタブリーズを奪い、サファヴィー朝を建て、イランの伝統的な王の称号「シャー」を復活させ、その位に就きました。イラン系王朝の復活です。

サファヴィー朝は建国とともにいくつもの試練を経験します。当時、西方にはオスマン帝国が強大化していましたが、このオスマン帝国と1514年にチャルデランで戦い敗れました。このため遊牧民の信頼を集めていた彼の宗教的カリスマ性はなくなり、サファヴィー朝は世俗国家化していきます。

なお、このチャルデランの戦いは騎馬遊牧民族の戦術を終わらせました。オスマン帝国はここで最新武器「鉄砲」を使ったのです。遊牧民はそれまで有能な指導者の下で、その指揮に従って戦えば無敵だったのですが、もろくも崩れ去ったのです。そこまで厳しくいわないまでも、世界史の大きな転機になっていったことは確かです。

サファヴィー朝の軍隊は、キジルバーシュ（「赤い頭」の意味、赤いターバンに由来）といわれるトルコ系の騎馬軍団が支えていました。彼らの首長はイスマーイールへの信仰ともいえる忠誠心を持っていたのですが、チャルデランの敗戦ののち、それがしだいに薄れていき、各地で領地を持つようになっていた有力者間での対立まで起こります。

16世紀にシャーの位に就いたアッバース1世（在位1587～1629）は新しく近衛軍団を組織し、キジルバーシュを徐々に抑え込んでいきました。彼の下でサファヴィー朝は最盛期を迎え、都のイスファハーンは「世界の半分」とたたえられるほどに繁栄しました。

この時代、西のオスマン帝国、東のムガール帝国と、北アフリカから西アジア、そしてインドにかけて三つのイスラム王朝が並び立ちました。ただし同じイスラム王朝でもその信仰する宗派は異なっています。オスマン帝国とムガール帝国はスンナ派になります。

サファヴィー朝の君主は当初、スンナ派勢力と戦うため、イスラム教の少数派、シーア派をより過激に解釈してキジルバーシュの支持を集めていました。しかし、スンナ派が多いイラン人を納得させるため、過激な信仰の強制はやめ、正統的なシーア派の教義の浸透に力を注ぐようになりました。このためアッバース1世の頃にはイランでシーア派の信仰が定着し、今日に至ります。

アッバース1世の改革によってサファヴィー朝は一時勢力を回復しましたがトルコ系有力者の勢力を抑えることはできず、衰退傾向を続けていきました。サファヴィー朝を滅亡に導いたのはアフガン族でした。

ロシアとイギリスからの圧迫が国民意識を高める

サファヴィー朝の滅亡後もイランではトルコ系の有力者が力を持っていました。その一人ナーディル・シャーはアフシャール朝を樹立、インドにも侵入しました。さらにこれにトルコ系のゼンド朝が続き、これを破って18世紀末に建国されたのがカージャール朝です。

カージャール朝もサファヴィー朝のトルコ系騎馬軍団キジルバーシュを利用していた点でイラン人の国家とは言えませんが、ここでもイラン人官僚は活躍しています。さらに、この時代から、北からはロシア、南からはイギリスの進出が目立ってきます。ロシアとは1828年のトルコマンチャーイ条約などでアルメニアなどを失い、イギリスともアフガニスタンをめぐって戦い敗れ、不平等条約を結ばされました。

西洋列強との戦争は財政悪化を招いただけでなく、ロシアやイギリスとの貿易では不利な条件が強制された上に、資源や鉄道などでも利権を失っていきました。19

世紀の末になって、イランではタバコ・ボイコット闘争（タバコの専売の利権をイギリス商人に譲ることが約束されたことに対し、イラン人はタバコの喫煙をやめて、それに抗議した運動）が展開されますが、このような運動によってイラン人の国民意識が高まり、さらに宗教指導者による改革運動も盛り上がっていきました。

１９０５年、イランの知識人や商人が立憲運動を開始し、翌年国民議会が開催されます。さらに憲法も制定され国王はそれを批准しました。このような改革の進行に国内のみならずイギリスなども危機感を持ち１９１１年、ロシア軍によって革命派は抑圧され、イラン立憲革命は挫折しました。

現在まで続くシーア派宗教国家の誕生

第一次世界大戦でイランは中立国でしたが，ロシアやイギリスとの関わりで戦争から無縁ではありませんでした。１９１７年のロシア革命によりロシア軍が撤退、イギリスがイランを支配下に置こうと計ります。イギリスはイラン・コサックのレザー・ハーンを擁立し、彼がシャーを名乗ることで１９２５年、パフレヴィー朝が成立しました。ここに、イラン人自身が指導する国家ができたことになります。

しかしこの国家も厳しい国際関係のなかに置かれていました。ロシア革命の防波堤にしようとするイギリスと、反英民族政権の成立を願うソ連との対立の場になります。第二次世界大戦でも中立を保ちましたが、戦争末期になると両国が進駐し、親ナチスと見られた国王は退位します。新しいシャーのムハンマド・レザー・パフレヴィーは反ソ・親英米の立場に立ちますが、1951年、モザデクがアングロイラニアン石油会社を国有化し、首相となって実権を握りました。しかし英米の巻き返しのなか、国王は1953年、クーデターでモサデクを倒します。

以後イランは親米路線を貫き、白色革命といわれる近代化を推進しました。しかし、巨大な石油利権をはじめとする富は国王に集中し、国民の不満が大きくなります。そのときに反政府勢力の中心になったのがホメイニで1979年、イスラム革命によって国王を追放、イラン・イスラム共和国を樹立しました。宗教国家の誕生ですが、イスラム世界で多いスンナ派に対しイランでは伝統的にもシーア派の勢力が強く、中東のみならず、国際政治不安定化の一因になっています。

イラン人の精神を支えたペルシア語

イラン2600年の歴史を概略しました。ただし、イラン史といいながら、7世紀から20世紀まで、一時的な例外がありながら、イランにありながらイラン人が最高権力を握った王朝が少なかったことは驚きです。しかし、トルコ人（一時、アラブ人やモンゴル人）が権力を握りながらも、イランではイラン人が国家を支え続けてきました。

そのような精神的支えになったのがペルシア語と言い切ることができるかもしれません。もちろんそのペルシア語もイスラム教アラブ人の征服によってアラビア文字が導入され、ペルシア語をアラビア文字で表記するというしたたかさも見せます。

イスラム教のシーア派はスンナ派に対抗するもので、スンナ派の中心的存在であるサウジアラビアと対抗することで、イスラム世界での存在感を大きくしています。

テーマにできることは多いのですが、移動してきた民族の支配の下でも民族の文化を忘れないで歴史を積み上げてきたイランは、まさしく、歴史に接する人間にとって、多くのものを教えてくれる国家になります。定点観測という言葉がありますが、イランはその舞台にぴったりの地域なのです。

あとがき

現代世界では、ポピュリズムや排外主義、自国ファースト、そして、これらから派生するヘイトな言葉が乱れ飛んでいます。崇高な理性的立場から考えたら、そのような言動は許されませんが、これらを実行している人々は、おそらくそうした意識はもたず、面白半分なのでしょう。いじめや差別にも通じる神経です。

人はなぜ、他人を差別し、排除するのか、答えはさまざまでしょう。文化や宗教、体形や肌の色、いろいろな面から自分とは異なったものを探し出し、それを騒ぎ立てるのは人間の悲しい本性なのかもしれません。それを行なうことによって自分自身の存在を実感し、落ち着くことができるのだとしたら、悲しいことですが、ヘイトは終わるところを知らず延々と続いていくものだとも考えてしまいます。

そのような世界で、少しだけ考えてもらいたい、という気持ちで書いたのがこの本です。たまたま人類は、この地球上に200ほどの国民国家をつくっています。民族の数ではもっと多くなるでしょう。しかし、人類が現在の状況に至るまで、数百万年の歴史があります。歴史時代が始まり、さまざまな記録が残されるようになっ

てから でも5000年です。この間に人類は移動や同化、混血を続けてきました。

最初の総論にも書きましたが、一人の人間のご先祖様を5代さかのぼるだけで、30人以上の異なった血を受け継いできている事実があります。10代、20代とさかのぼったら数えることもできないほどの祖先をもつことになるのです。その過程で、言語や宗教などで大きなグループができてしまっているだけのことなのです。

子どもの頃、ポーランドのザメンホフという学者が「エスペラント」という新しい言語をつくった話を聞きました。そのときは、変わった人がいるものだ、くらいにしか感じなかったのですが、19世紀のポーランドは、独立国家をもたず、国内ではポーランド人、ユダヤ人、ドイツ人、ロシア人などが対立していた歴史を知り、なるほどこういう人物も出てくるのかと思いました。長い対立のなかで何とか協調・調和をもたらせないかと考え、新しい言語づくりに挑戦したのです。ただ、残念ながら彼の理想は今なお実現されていません。

平和以上に、戦うことが好きなのが人間なのかもしれません。しかし、同時に考える能力をもつのも人間です。さまざまな物事を知ることは、考える材料を与えてくれるものではないかと信じています。

参考文献

『移民の一万年史 人口移動 遥かなる民族の旅』ギ・リシャール 監修、藤野邦夫 訳（新評論）
『世界史への問い3 移動と交流』柴田三千雄ほか 編集（岩波書店）
『近代ヨーロッパの探究1 移民』山田史郎ほか 著（ミネルヴァ書房）
『地域の世界史5 移動の地域史』松本宣郎、山田勝芳 編集（山川出版社）
『民族移動と文化編集 変動時代のノマドロジー』大貫良夫 監修（NTT出版）
『近代ヨーロッパの探究9 国際商業』深沢克己 編著（ミネルヴァ書房）
『近代ヨーロッパの探究10 民族』大津留厚ほか 著（ミネルヴァ書房）
『海と船と人の博物史百科』佐藤快和 著（原書房）
『BC1177』エリック・H・クライン 著、安原和見 訳（筑摩書房）
『古代エジプト入門』内田杉彦 著（岩波書店）
『アーリア人』青木健 著（講談社）
『世界歴史大系 南アジア史1〜3』山崎元一ほか 編集（山川出版社）
『世界史リブレット5 ヒンドゥー教とインド社会』山下博司 著（山川出版社）
『ユダヤ人の歴史 上・下巻』ポール・ジョンソン 著、石田友雄 監修、阿川尚之ほか 訳（徳間書店）
『ヨーロッパ史入門 スペインの黄金時代』ヘンリー・ケイメン 著、立石博高 訳（岩波書店）
『世界各国史20 ポーランド・ウクライナ・バルト史』伊東孝之、井内敏夫、中井和夫 ほか編集（山川出版社）
『興亡の世界史 地中海世界とローマ帝国』本村凌二 著（講談社）
『興亡の世界史 通商国家カルタゴ』栗田伸子、佐藤育子 著（講談社）
『興亡の世界史 シルクロードと唐帝国』森安孝夫 著（講談社）
『興亡の世界史 モンゴル帝国と長いその後』杉山正明 著（講談社）
『ロシアの源流 中心なき森と草原から第三のローマへ』三浦晴美 著（講談社）
『遊牧民から見た世界史』杉山正明 著（日本経済新聞出版社）
『モンゴルの歴史 遊牧民の誕生からモンゴル国まで』宮脇淳子 著（刀水書房）
『逆説のユーラシア史 モンゴルからのまなざし』杉山正

明 著（日本経済新聞社）
『興亡の世界史 東南アジア 多文明世界の発見』石澤良昭 著（講談社）
『ビジュアル版世界の歴史12 東南アジア世界の形成』石井米雄、桜井由躬雄 著（講談社）
『物語 シンガポールの歴史』岩崎育夫 著（中央公論社）
『ビジュアル版 イスラーム歴史物語』後藤明 著（講談社）
『中東イスラーム民族史 競合するアラブ、イラン、トルコ』宮田律 著（中央公論社）
『イスラム・ネットワーク アッバース朝がつなげた世界』宮崎正勝 著（講談社）
『中世シチリア王国』高山博 著（講談社）
『物語 イタリアの歴史 解体から統一まで』藤沢道郎 著（中央公論社）
『興亡の世界史 ロシア・ロマノフ王朝の大地』土肥恒之 著（講談社）
『オスマンvsヨーロッパ』新井政美 著（講談社）
『中央ユーラシアを知る事典』小松久男ほか 編集（平凡社）
『世界各国史4 中央ユーラシア史』小松久男 著（山川出版社）
『スペインの歴史を知るための50章』立石博高、内村俊太 編著（明石書店）
『アルメニアを知るための65章』中島偉晴、メラニア・バグダサリヤン 編著（明石書店）
『コーカサスを知るための60章』北川誠一、廣瀬陽子、前田弘毅、吉村貴之 編著（明石書店）
『スロヴェニアを知るための60章』柴宣弘、アンドレイ・ベケシュ、山崎信一 編著（明石書店）
『シンガポールを知るための65章』田村慶子 編著（明石書店）
『南アフリカを知るための60章』峯陽一 編著（明石書店）
『世界各国史3 中国史』尾形勇、岸本美緒 編集（山川出版社）
『長城の中国史 中華vs.遊牧六千キロの攻防』阪倉篤秀 著（講談社）
『世界歴史大系 イギリス史1 先史〜中世』青山吉信 編集（山川出版社）
『世界歴史大系 ドイツ史1 先史〜1648年』成瀬治、山田欣吾、木村靖二 著（山川出版社）
『原始ゲルマン民族の謎「最初のドイツ人」の生と闘い』S・フィッシャー＝ファビアン 著、片岡哲史 訳（三修社）
『国境をこえるドイツ その過去・現在・未来』永井清彦 著（講談社）
『諸文明の起源9 ヴァイキング時代』角谷英則 著（京都大学学術出版会）
『北の十字軍「ヨーロッパ」の北方拡大』山内進 著（講談社）
『世界歴史大系 フランス史1 先史〜15世紀』柴田三千雄、樺山紘一、福井憲彦 著（山川出版社）
『世界歴史大系 アメリカ史1、2』有賀貞、大下尚一、志

邨晃佑、平野孝 著（山川出版社）

『ユダヤとアメリカ 揺れ動くイスラエル・ロビー』立山良司 著（中央公論新社）

『アメリカ黒人の歴史』本田創造 著（岩波書店）

『移民国家アメリカの歴史』貴堂嘉之 著（岩波書店）

『フロンティアと開拓者 アメリカ西漸運動の研究』岡田泰男 著（東京大学出版会）

『世界史リブレット アフリカ史の意味』宇佐美久美子 著（山川出版社）

『世界史リブレット サハラが結ぶ南北交流』私市正年 著（山川出版社）

『新書アフリカ史』宮本正興、松田素二 編集（講談社）

『山川 詳説世界史図録（第2版）』木村靖二、岸本美緒、小松久男 監修（山川出版社）

『最新世界史図説 タペストリー 十六訂版』北川稔、桃木至朗 監修（帝国書院）

ほか多数

著者紹介
関 眞興（せき　しんこう）
1944年、三重県生まれ。歴史研究家。東京大学文学部卒業後、駿台予備学校世界史講師を経て、著述家となる。著書に『読むだけ世界史 古代～近世』『読むだけ世界史 近現代』（以上、学研プラス）、『30の戦いからよむ世界史〈上〉〈下〉』『ライバル国からよむ世界史』『キリスト教からよむ世界史』（以上、日経ビジネス人文庫）、『「お金」で読み解く世界史』『「宗教」で読み解く現代ニュースの真相』（以上、ＳＢ新書）などがある。

編集・構成・DTP ◆ クリエイティブ・スイート
本文デザイン ◆ 小河原德

この作品は、2019年3月にPHP研究所から刊行された『「民族」を知れば、世界史の流れが見通せる』を、加筆・修正し改題したものです。

ＰＨＰ文庫　民族から解き明かす世界史

2022年10月17日　第1版第1刷

著　者　　関　眞興
発行者　　永田貴之
発行所　　株式会社ＰＨＰ研究所
東京本部　〒135-8137　江東区豊洲5-6-52
ＰＨＰ文庫出版部　☎03-3520-9617（編集）
普及部　☎03-3520-9630（販売）
京都本部　〒601-8411　京都市南区西九条北ノ内町11

PHP INTERFACE　https://www.php.co.jp/

印刷所　大日本印刷株式会社
製本所　東京美術紙工協業組合

ISBN978-4-569-90257-9

PHP文庫

世界史を変えた植物

稲垣栄洋 著

一粒の麦から文明が生まれ、コショウが大航海時代をつくり、茶の魔力が戦争を起こした。人類を育み弄させた植物の意外な歴史に迫る!